Exercices pour un corps de danseuse

Darcey Bussel

Exercices pour un corps de danseuse

MARABOUT

Publié pour la première fois en 2007 en Grande-Bretagne par Michael Joseph, une marque du groupe Penguin Books, sous le titre *Darcey Bussell's dance body workout*.

Avertissement

Si vous avez des problèmes de santé, êtes enceinte ou souffrez de maux de dos, les exercices décrits dans ce livre ne doivent pas être suivis sans consultation préalable de votre médecin ou l'avis d'un spécialiste. Toutes indications et avertissements doivent être lus avec attention. Ni l'auteur, ni les éditeurs ne sauraient être tenus responsables de blessures ou dommages résultant d'un manquement de le faire.

sommaire

163 Les étirements

177 Rester en bonne santé

Introduction

Pour avoir un corps de danseuse

J'ai écrit ce livre parce que je voulais créer un programme d'exercices qui souligne cet aspect de mon travail et montre comment la précision et la complexité des exercices de danse peuvent modeler votre corps.

Trouver du temps pour soi

J'aime ma vie, mais comme le sait chaque mère qui travaille, il n'est pas toujours facile d'être mère et gérer une carrière. Cela fait maintenant presque vingt ans que je danse professionnellement et j'ai dansé pour certaines des plus passionnantes troupes de danse du monde, comme le Royal Ballet, le New York City Ballet et le Kirov Ballet de Saint-Pétersbourg, mais j'ai aussi deux filles et cela signifie que je jongle constamment.

Comme chacun dans cette situation, j'ai appris que la seule manière de rester saine d'esprit et de faire en sorte que tout marche est d'être préparée dans tous les aspects de ma vie quotidienne, qu'il s'agisse de mémoriser mon programme de représentation, déterminer ce qu'il y a et ce qui manque dans le réfrigérateur ou déléguer qui ira chercher les filles à l'école tous les jours. Une telle organisation paraît extrême, mais fonctionne pour moi. L'avantage est que je suis calme au travail et à la maison et cela contribue du coup à ce que mes filles soient tranquilles et heureuses.

Bien entendu, je mentirais si je n'admettais pas qu'il y a des moments où je me sens épuisée. La partie de l'année la plus difficile pour moi est la fin de la saison, lorsque je suis physiquement la plus fatiguée. Mais j'ai la chance d'avoir une assistante extraordinaire et une équipe de soutien fantastique. Je sais que je peux déléguer des tâches, ce qui me facilite la vie et me permet aussi d'avoir du temps pour moi, même si ce n'est que 5 minutes seule dans mon bain. Et aussi difficile que cela puisse être, j'adore absolument être mère et regarder mes filles grandir. Phoebe, qui a maintenant cinq ans, aime me regarder suivre des cours et récemment est même restée assise pendant l'intégralité d'une représentation de ballet de deux heures et demie (avec pauses). Elle a beaucoup aimé la danse, mais c'était l'atmosphère dans l'auditorium, les lumières qui diminuaient et particulièrement le nombre de tenues que je portais pendant la représentation qui rendaient les choses passionnantes pour elle.

Comme Phœbe, j'ai toujours tout aimé dans la danse, mais à son âge je n'avais certainement jamais rêvé d'être ballerine et personne n'aurait jamais

dit que j'étais née pour danser. Enfant, j'ai toujours été plutôt athlétique et j'avais un corps de ce type, bien qu'en vieillissant et après avoir eu des enfants il est devenu plus dessiné. Maintenant je ne pourrais certainement pas imaginer mon monde sans ballet car c'est devenu mon élément naturel.

J'aime danser car cela me permet de me sentir libre. Comme avec la nage, vous faites travailler chaque partie de votre corps en bougeant et cela procure une sensation étonnante. J'aime aussi la sensation de parfaire un mouvement de danse, sensation à laquelle on devient dépendant – l'intégralité du processus consistant à travailler vraiment dur pour parvenir à ce qu'une technique soit absolument juste. Lorsqu'on regarde des danseurs, j'ai toujours le sentiment que si on continue de voir dans l'air les formes de leurs mouvements après qu'ils ont pris fin, c'est qu'ils ont été bien exécutés. Voila la perfection à laquelle j'aspire.

Une méthode pour remodeler son corps

Contrairement à l'opinion générale, les exercices de danse ne sont pas réservés aux danseurs de ballet ; ils forment une méthode offerte à tous pour renforcer et allonger son corps. Un programme combinant Pilates, barre au sol et étirements est la meilleure manière pour moi de vous donner un avant-goût de ce à quoi cela ressemble de s'entraîner comme un danseur. Les exercices diffèrent grandement de vos exercices de gym habituels tout simplement parce que notre objectif est différent de celui des autres athlètes. Nous devons conserver un corps à la fois mince et puissant. Pour cela, nous devons travailler à construire notre force musculaire sans devenir massifs. L'objectif est avant tout d'allonger et de tonifier. Cela peut sembler plus facile que ce à quoi vous êtes habitué, mais vous serez surpris de l'intensité de tout cela.

Programme Pilates + barre au sol + étirements

Je fais de la barre au sol (des exercices de danse que l'on pratique au sol plutôt qu'à la barre) depuis l'âge de douze ans. Cela a vraiment contribué à renforcer mon corps et ensuite je suis passée à la méthode Pilates. Je continue de faire du travail de barre 30 minutes par jour, 6 jours par semaine. Comme tout danseur le sait, le travail de barre est indispensable ; on ne peut vraiment pas s'en passer, bien que ce ne soit que le début d'une classe entière suivie par un danseur, qui n'est elle-même qu'une partie de notre journée. La méthode Pilates est aussi l'un des piliers de mes exercices ; c'est la technique qui m'a aidée à retrouver ma forme après la naissance de mes filles. Ce sont ces deux éléments, le Pilates et la danse, associés à des

exercices réguliers d'étirement, qui m'ont aidée à rester suffisamment forte pour être danseuse professionnelle jusqu'à ce jour.

Faites ce programme régulièrement et votre corps en retirera un nombre incalculable de bénéfices : un port meilleur, un ventre plus plat, un plus grand tonus et une plus grande force musculaire pour n'en citer que quelques-uns. Encore mieux, l'association Pilates, barre au sol et étirements vous aidera à mieux prendre conscience de votre corps et de la manière dont vous l'utilisez au quotidien. Faites le programme au moins 3 fois par semaine. Non seulement cela contribuera à rendre votre corps plus souple et plus fort, mais cela vous donnera aussi une petite idée de ce que c'est d'être danseur de ballet, sans devoir danser en réalité.

Un programme unique : Pilates + barre au sol + étirements

Le ballet, à la différence d'autres entraînements, dessine et sculpte le corps, plutôt que de le rendre volumineux. Bien que les danseurs soient puissants physiquement, nous n'avons pas une apparence surdéveloppée comme peuvent l'avoir d'autres types d'athlètes.

➔ Un programme de remise en forme

Le ballet et l'entraînement qui y est associé présentent un avantage unique lorsqu'il s'agit d'activité physique. Pratiquez ce type de programme de remise en forme et cela vous permettra non seulement d'être plus fort, mais aussi plus mince, d'avoir un corps mieux dessiné et plus souple que, disons, si vous faites des exercices dans une salle de gym. Vous avez le désir secret de danser ou simplement l'envie de suivre un cours de ballet pour adultes ? Ce programme d'exercices vous donnera également un avant-goût de l'effet positif que le ballet peut avoir sur votre corps. Ne l'écartez pas, néanmoins, si le ballet est la dernière chose que vous ayez en tête, parce que le programme Pilates + barre au sol + étirements est un programme puissant, susceptible d'aider tout le monde à se sentir en meilleure forme, plus fort, que vous soyez débutant ou athlète accompli. Suivez le programme dans son intégralité 3 fois par semaine : cela contribuera à sculpter votre corps, améliorer votre posture, ainsi qu'à accroître votre amplitude de mouvement et à modeler vos muscles.

➔ Un programme pour tous

La plupart des non-danseurs sont intimidés à l'idée des exercices de type ballet, s'imaginant que s'ils n'ont pas commencé à danser lorsqu'ils étaient enfants, ou s'ils n'ont pas de coordination naturelle ou un corps fait pour la danse classique, les exercices de ballet ne leur seront d'aucun secours. Ce n'est pas vrai : les exercices à la barre peuvent être pratiqués par chacun ; ils constituent une manière idéale de se remettre en forme sans en demander trop au corps. Mieux encore, avec la barre au sol, vous n'avez pas besoin de connaissances préalables de ballet, parce que les exercices sont conçus pour être accessibles. Vous pouvez tonifier vos muscles et renforcer votre corps quelles que soient vos expériences préalables de la danse ou même de l'activité physique.

Les objectifs

Tous les exercices du programme Pilates + barre au sol + étirements ont pour objectif d'allonger les muscles tout en les rendant forts. La barre au sol repose sur l'entraînement quotidien du ballet, habituellement accompli par les danseurs debout à la barre. Nous travaillons à la barre parce que cela nous prépare à nous tenir et à danser sans support. Toutefois, pour un certain nombre de raisons, la série d'exercices que je vous propose a été adaptée pour le sol.

Pourquoi la barre au sol ?

- Réaliser les exercices en position allongée aidera les non-danseurs à profiter de nombreux bénéfices que les danseurs retirent du ballet, sans avoir à s'inquiéter de la stabilité. Le sol offre un soutien parfait et vous évite d'avoir à penser aux changements de centre de gravité et/ou à la perte d'équilibre lorsque vous décollez et soulevez une jambe.
- La position allongée vous aide à vous protéger des blessures du dos, tout en vous permettant d'atteindre et de trouver un plus grand éventail de mouvements que si vous étiez en position debout.
- Cette position augmente vos chances de réaliser tous les exercices correctement.

À titre de progression, pour ceux qui souhaiteraient vivement se faire une idée de ce à quoi ressemble le travail de barre debout des danseurs professionnels, un court programme debout figure à la fin du programme d'exercices ; bien que moins compliqué que le programme habituel de barre, cela vous donnera une bonne idée des exercices sans le soutien du sol.

Progresser en répétition

Tous les exercices de barre feront travailler votre corps selon des manières auxquelles il n'a jamais été confronté en vous demandant non seulement de vous focaliser sur certains groupes de muscles particuliers, mais aussi de vous concentrer sur l'allongement de votre corps et sur sa tenue depuis son centre (votre ventre). Vous découvrirez probablement des muscles nouveaux ou sous-utilisés. À première vue, le programme peut paraître répétitif, mais c'est ainsi qu'on enseigne la danse. Le corps apprend par la répétition ; plus vous faites quelque chose, plus il est facile de s'en souvenir et plus vite cela se met en place. Pour cette raison, la barre au sol démarre par des mouvements lents et progresse graduellement vers des mouvements plus rapides et plus compliqués. La répétition permet aussi d'échauffer l'ensemble des articulations et des muscles. Par conséquent, vous ne devez pas avoir pour objectif de vous diriger rapidement vers le centre (ce que les danseurs appellent le milieu de la pièce) et espérer réaliser des sauts élaborés, mais de travailler à améliorer votre souplesse afin de paraître plus mince et d'avoir un meilleur port dans la vie quotidienne sans avoir à y penser.

➔ Une raison à chaque exercice

L'une des choses que j'ai rapidement apprise en ce qui concerne les cours de danse est qu'il existe vraiment une raison à chaque exercice.

En effet, il ne sert à rien de consacrer du temps à des exercices qui ne contribuent pas à nous rendre meilleurs danseurs ou à obtenir la bonne forme de tonus musculaire. De ce fait, chaque exercice de ce programme (et de tout entraînement de ballet) a une raison et un objectif précis. Par exemple, les pliés (flexions des genoux), par lesquels on démarre les exercices, peuvent sembler simples mais constituent une partie essentielle du travail global. Lorsque vous faites un plié, les muscles de la cuisse se contractent, s'allongent et s'échauffent. Introduisez un tendu (mouvement dans lequel le pied brosse la surface d'appui) et la cuisse doit travailler alors que les tendons et muscles du pied commencent à se mettre en mouvement. Cela prépare alors l'exercice suivant, et ainsi de suite. Quelle que soit la difficulté que vous rencontrez initialement, persévérez : en quelques semaines, vous constaterez certainement que vous avez un ventre plus fort et plus plat, une meilleure posture et que vos jambes et vos bras commencent à avoir une allure plus dessinée.

Dans l'ensemble, vous constaterez que la barre au sol est parfaite pour l'entretien du corps parce qu'elle vise les abdominaux, les fessiers, les cuisses, les mollets et les bras, et cela tout en vous donnant un aperçu de la manière dont les danseurs de ballet s'entraînent. Vous ferez travailler votre ventre tout en raffermissant vos cuisses, en faisant remonter vos fesses et en profilant vos jambes.

Tous les exercices fonctionnent en opposition les uns avec les autres ; par exemple, si une jambe se soulève, l'autre contrebalance le mouvement en travaillant de manière opposée de sorte que les muscles soient toujours en mouvement. Cela vous aide à atteindre la stabilité du centre et l'équilibre pour lesquels les danseurs sont connus.

Pensez à votre posture

La barre au sol présente un aspect supplémentaire unique en ce qu'elle peut vous aider à prendre conscience de la manière dont vous tenez votre corps et l'utilisez dans la vie quotidienne. Si vous vous asseyez tous les jours avachi à votre bureau ou regardez toujours le sol lorsque vous marchez, ce programme vous donnera le maintien d'un danseur en vous permettant de garder la tête haute et de conserver votre posture à tout moment. Les exercices vous apprendront comment vous tenir en utilisant votre ventre afin que, quoi vous fassiez – faire des courses, porter des enfants ou courir après le bus –, vous soyez en mesure de vous servir de votre corps sans départir de son alignement ni forcer sur votre dos et vous blesser.

La méthode Pilates

Si vous ne connaissez rien encore à la méthode Pilates, il s'agit essentiellement d'une méthode de remise en forme du corps développée il y a presque cent ans en Allemagne par Joseph H. Pilates. Il commença par développer la technique afin de renforcer son corps après avoir souffert, enfant, de rachitisme, puis se mit à l'enseigner à ses co-internés dans un camp de prisonniers de guerre au cours de la première guerre mondiale. Plus tard, dans les années 1920, il ouvrit un studio à New York et enseigna cette technique à des danseurs comme Martha Graham et George Balanchine. À la différence d'autres techniques de travail du corps, elle est devenue l'une des préférées des danseurs parce qu'elle vise le renforcement, l'allongement et la tonicité des muscles (plutôt que leur construction et leur développement en volume), et elle participe ainsi à conférer une allure parfaite, mince et longue, idéale pour les danseurs.

Le Pilates est également juste ce qu'il faut à des non-danseurs qui cherchent à tonifier leur corps et à apprendre à s'en servir : au-delà du renforcement musculaire, cela vous donnera un véritable sens de votre corps et de la manière dont il bouge. Pour cette raison, j'ai créé un programme d'échauffement Pilates préliminaire au travail de barre au sol.

Faire du Pilates en échauffement vous aidera non seulement à parvenir à un éventail complet de mouvements lors de la barre au sol, mais vous aidera aussi à vous habituer à faire bouger votre corps de la même manière que les danseurs, et vous aidera à vous concentrer et faire connecter votre esprit et votre corps. Cela signifie que vous devez apporter une attention constante à la manière dont vous réalisez et accomplissez les exercices.

Les étirements

Les exercices d'étirement devraient faire partie de tout programme d'exercices, du football en passant par le patin à glace. Nous nous étirons pour aider notre corps à rester souple et éviter que nos muscles deviennent raides. Pour un danseur, c'est aussi important que de danser et que le travail de barre : à défaut, nous risquerions fortement de nous blesser. Pour des non-danseurs, c'est encore plus important, car avec le temps les muscles deviennent naturellement raides et douloureux et plus nous sommes inactifs, plus nous avons mal, ce qui non seulement limite notre gamme de mouvements mais aussi augmente nos risques de blessure. Les étirements contribueront non seulement à garder vos muscles relâchés, mais aussi amélioreront votre souplesse.

L'importance de s'étirer

- La recherche montre qu'il n'est pas bénéfique de s'étirer avant de s'échauffer et c'est vrai parce que les muscles ont besoin d'être échauffés avant d'être soumis à un éventail de mouvements. Voilà pourquoi, j'ai fait des étirements la fin de ce programme et du Pilates l'échauffement.
- Il est essentiel de vous étirer si vous venez de réaliser un entraînement rigoureux et ne souhaitez pas que cela se termine par des courbatures dues à l'accumulation d'acide lactique dans les tissus musculaires (les étirements aident à se débarrasser des toxines accumulées). Du coup, cela vous permet de recommencer plus tôt votre programme d'entraînement.
- Un étirement quotidien vous aidera à allonger des muscles contractés et courts, lesquels sont un facteur majeur de blessure en danse, en sport et dans la vie quotidienne.

Rester souple vous aidera aussi à améliorer et à conserver votre équilibre, décupler votre énergie générale et améliorer votre posture. Ce ne sont que quelques-unes des raisons qui expliquent la popularité, ces derniers temps, du travail de ballet, de la méthode Pilates et du yoga. Quel que soit donc votre objectif en faisant ce programme, faites en sorte que l'étirement soit une partie essentielle de l'équation.

Et si tout ce qui précède ne suffit pas à vous convaincre de vous étirer, alors réfléchissez à ceci : l'étirement de vos muscles vous permet d'étendre votre corps dans sa plus grande gamme de mouvements, ce qui vous aide à avoir l'air plus grand et à paraître instantanément plus mince. De plus, cela permet de libérer votre corps du stress et des tensions, causes non seulement de douleurs mais aussi de fatigue. Lorsque vous serez habitué à la sensation d'étirement, le processus deviendra presque méditatif et contribuera à permettre à votre corps littéralement de se calmer et de se relaxer après qu'il a travaillé dur. Il améliore aussi la circulation en permettant au sang de circuler dans des parties étroites et il se peut que vous sentiez certaines parties chauffer légèrement lorsque vous vous étirez.

➔ Ne forcez pas ! Travaillez selon vos capacités

Lorsque vous réalisez le programme Pilates + barre au sol + étirements, assurez-vous de toujours travailler selon vos aptitudes naturelles. Je veux dire par cela, ne faites aucun mouvement douloureux ou qui irait au-delà de ce qui vous est confortable. Les danseurs sont naturellement plus souples que les non-danseurs et peuvent faire avec leur corps des choses qui paraissent faciles et normales alors qu'elles sont, en réalité, le résultat des années d'entraînement. Lorsque vous commencerez ce programme, vous serez probablement moins souple que vous ne le pensiez, en particulier si vous n'avez pas fait d'exercice depuis un certain temps, même si, enfant, vous étiez très souple. Vous constaterez peut-être que vous n'arrivez pas à réaliser immédiatement ce que montre la photo. Ce n'est pas un problème, car les photos sont là pour servir de guide et plus vous vous entraînerez, plus vous acquerrez de souplesse. Pour cette raison, assurez-vous de prendre note des bases de la méthode Pilates, de la barre au sol et des étirements qui figurent sur les pages qui suivent, n'étendez pas à l'excès vos articulations et n'allez pas trop vite, car cela pourrait vous conduire à vous blesser et ne vous aiderait pas à atteindre vos objectifs.

Essayez ce programme : je suis sûre que vous ne le regretterez pas.

Avant de commencer

Afin de profiter au mieux du programme Pilates et la barre au sol, il est important de comprendre les cinq éléments fondamentaux de la technique qui suivent.

Maintenir votre centre

Votre centre est un élément crucial dans la pratique du Pilates et de la barre au sol. Pour comprendre votre centre, pensez aux muscles abdominaux et du bas du dos qui entourent et maintiennent votre buste comme un corset.

Pour localiser votre centre en position allongée, rentrez tout simplement le nombril en direction de la colonne vertébrale.

Prenez soin de ne pas exagérer le mouvement au point de bloquer votre respiration ou de faire ressortir vos côtes. Le but est d'engager vos muscles abdominaux de sorte que votre ventre soit plat, tout en vous permettant de respirer normalement.

Stabilisation des épaules

Pour la plupart, nous marchons tête rentrée dans les épaules, sans même réaliser que nous relevons les épaules. Pendant une grande partie de la journée, nos épaules sont soulevées et maintenues en position, au lieu d'être détendues. De nombreuses personnes souffrent des épaules et du cou parce qu'elles ne tiennent pas leurs omoplates stables lorsqu'elles lèvent les bras.

Posture incorrecte

Pour mobiliser les épaules et savoir quelle devrait être leur position lorsque vous pratiquez l'échauffement Pilates et les exercices de barre au sol, remontez vos deux épaules au niveau des oreilles et faites-les rouler vers l'arrière tout en respirant normalement.

Imaginez un espace entre vos omoplates et faites-les glisser le long de la colonne : cela soutient vos bras lorsque vous les levez. Voici la position dans laquelle devraient être vos épaules lorsque vous commencez un exercice : stabilisées tout en étant détendues.

Postures correctes

Conserver un buste détendu

En danse, et par conséquent dans ce programme, le buste reste tout le temps détendu (pour le constater, regardez un danseur lors d'une représentation de ballet).

Pour cela, gardez les épaules stables et les côtes abaissées. Il ne devrait jamais y avoir de saillie au-dessus de la taille ; vos côtes prolongent votre ventre en ligne douce.

Posture correcte

Posture incorrecte

Allongement du cou

Dans la méthode Pilates et dans la barre au sol, il est essentiel de bien positionner le cou pour prévenir les blessures.

Que vous soyez allongé, debout ou assis, imaginez toujours votre menton se rapprocher du cou et le sommet de la tête être tiré vers le haut par une ficelle. Faites cela correctement et votre corps adoptera automatiquement une position posturale forte. Si vous ne parvenez pas à trouver la position en étant allongé au sol, roulez une petite serviette et placez-la sous votre nuque.

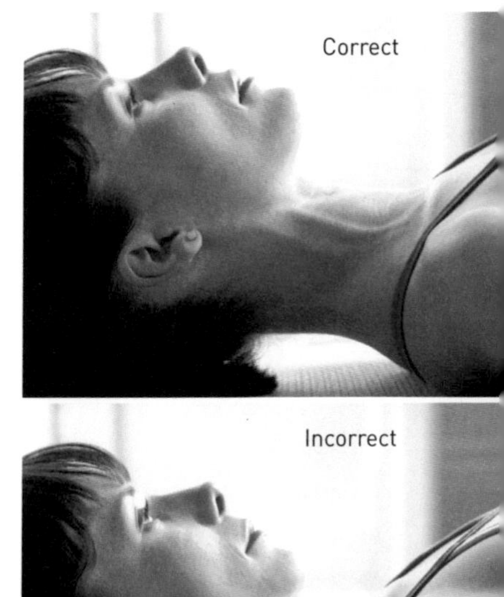

Neutralité de la colonne vertébrale

Lorsque vous êtes allongé, votre colonne vertébrale devrait toujours respecter la courbe naturelle de la chute des reins. C'est la position neutre de la colonne vertébrale, position idéale pour votre dos lorsque vous faites des exercices de Pilates ou de barre au sol : c'est elle qui exerce le moins de tensions sur la colonne.

Pour trouver la bonne position, allongez-vous au sol sur le dos, genoux pliés à angle droit, pieds parallèles et écartés de la largeur des hanches.

Permettez qu'une petite courbe naturelle se forme dans le bas du dos. Vous ne devez ni enfoncer votre dos dans le sol, ni le cambrer en sens inverse.

En position neutre, votre coccyx doit s'enfoncer dans le sol et vous devez facilement pouvoir glisser une main à plat sous votre taille.

CONSEILS

Lorsque vous êtes allongé, la colonne vertébrale ne devrait jamais appuyer à plat sur le sol ou devenir trop cambrée.

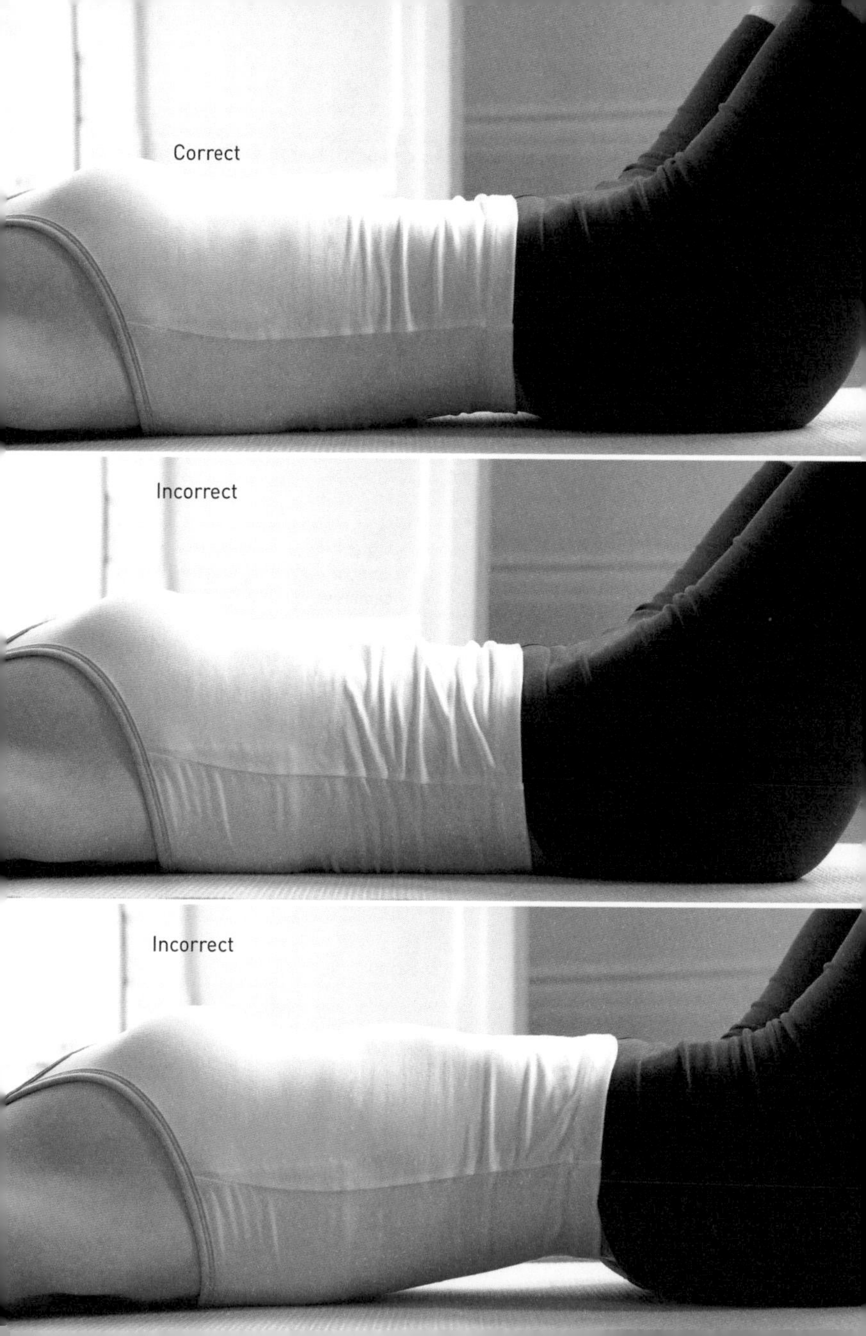
Correct
Incorrect
Incorrect

Ce dont vous avez besoin pour démarrer

- Suffisamment d'espace au sol pour pouvoir vous étirer complètement.
- Un mur, de préférence sans plinthe (pour la barre au sol).
- Un tapis d'exercice (facultatif).
- Une petite serviette que vous pouvez rouler et placer sous la nuque.
- Des habits qui permettent le mouvement.

RÈGLES DE BASE

- Lorsque vous réalisez les exercices de Pilates et de barre au sol, contractez en permanence les muscles du ventre. Cela soutiendra votre dos et facilitera la réalisation des mouvements.
- Échauffez-vous au début et étirez-vous à la fin, chaque fois que vous faites le programme.
- Faites le programme trois fois par semaine, toujours à la même heure.

Musique

Tous les danseurs sont inspirés par la musique. En ce qui me concerne, la musique dans ses différentes formes est l'une des choses les plus merveilleuses de la danse. En dehors du fait qu'il serait impossible d'imaginer un ballet sans musique (bien que cela se soit vu en danse moderne), la musique est vitale à la chorégraphie parce qu'elle nous conduit dans les mouvements et nous dicte notre rythme.

Pour cette raison, la musique peut être utilisée tout au long de la barre au sol. Selon mon expérience, non seulement le bon genre de musique vous encouragera à vous améliorer dans chacun de vos mouvements, mais l'accent, le rythme et le phrasé vous aideront à rester en cadence, à trouver votre extension et à vous étirer.

Le choix vous appartient. Personnellement, je trouve que la musique classique a le bon tempo pour le travail de barre. La musique est quelque chose de personnel, alors commencez par écouter une sélection et voyez avec lesquelles vous parvenez à trouver un rythme, lesquelles ne vous tapent pas sur les nerfs, lesquelles vous rendent tendu, et faites votre choix. Choisissez quelque chose pour vous sentir à l'aise. Prêtez attention à votre humeur du jour : peut-être aurez-vous besoin d'entendre quelque chose de plus relaxant ou de plus revigorant pour vous aider à réaliser le programme.

De toute la musique classique qui existe, la musique écrite spécialement pour le ballet constitue peut-être le choix le plus naturel pour la barre au sol. Elle est source d'inspiration et il est facile de danser dessus car le compositeur a naturellement tenu compte de la danse en composant. Toutefois, si vous devez faire ce programme 3 fois par semaine, je vous suggère de faire des essais et de voir ce qui vous convient le mieux.

Que vous soyez ou non, donc, fan de musique classique, donnez-vous la chance d'essayer différents types de compositeurs. Poussez-vous à écouter différents morceaux pour pouvoir trouver quelque chose qui non seulement vous inspirera et vous dynamisera, mais vous encouragera également à tirer le meilleur profit du programme de barre, au sol et debout.

LA SÉLECTION CLASSIQUE DE DARCEY

- Pavane Op. 50, de Gabriel Fauré
- Concerto en fa pour piano No 2 Op. 102-II, de Dmitri Chostakovitch
- Gymnopédie No 1, de Erik Satie
- Nocturne en mi bémol majeur Op. 9/2, de Frédéric Chopin
- Méditation (Thaïs, acte 2, scène 1), de Jules Massenet
- Concerto en la pour clarinette, K. 622, de Wolfgang Amadeus Mozart
- Concerto en ut pour piano No 21 ('Elvira Madigan'), K. 467-II : Andante, de Wolfgang Amadeus Mozart
- Claire de lune, de Claude Debussy.
- Concerto en ré mineur pour trompette, de Benedetto Marcello

L'échauffement Pilates

Vous avez laissé passer les deux mois réglementaires et vous avez décidé de vous reprendre en main. Au bout de deux mois de pratique des exercices conseillés ci-après, le résultat est vraiment visible.
La séance Bien qu'il soit toujours tentant de sauter un échauffement, ne le faites jamais. Il est essentiel pour tout le monde de s'échauffer correctement : un bon échauffement permet non seulement à vos muscles de s'étirer mais aussi prépare votre corps à une séance d'exercices plus longue. En ballet, il est essentiel de protéger son corps des blessures par tous les moyens disponibles, et un bon échauffement est donc toujours important.
La beauté de cet échauffement Pilates est que vous pouvez vous en contenter lorsque vous êtes à court de temps et qu'il vous aidera quand même à accroître votre souplesse et votre mobilité ainsi qu'à améliorer votre technique de barre au sol. Les exercices qui suivent ont été conçus pour être effectués en 20 minutes, mais risquent de prendre plus de temps au début car la clé est de toujours faire ce que vous ressentez comme des étirements naturels. Ne forcez pas votre corps à adopter des positions douloureuses ou trop inconfortables. de 4 exercices et d'un automassage est à pratiquer tous les jours ou un jour sur deux.

Les muscles du périnée

↘ **Cible : le périnée.**

- Allongez-vous au sol sur le dos, jambes fléchies à angle droit et pieds écartés de la largeur des hanches. Placez les bras le long du corps. Maintenant imaginez-vous sur le point d'uriner et de vous interrompre – ce sont les muscles du périnée.
- Contractez ces muscles en les tirant vers le haut en direction du ventre. Tenez pendant quatre temps et relâchez.
- Répétez cet exercice 10 fois. Cet exercice vous aide à vous connecter avec votre centre.

Élévation d'une jambe

↘ **Cible : les abdominaux.**

- Allongez-vous sur le sol, jambes fléchies à angle droit, pieds posés au sol, parallèles et écartés de la largeur des hanches. Placez les bras le long du corps et rentrez le nombril vers la colonne vertébrale afin de mettre vos abdominaux au travail **[1]**.
- En inspirant lentement, soulevez une jambe pour amener le genou au-dessus de la hanche tout en conservant la jambe fléchie à angle droit **[2]**. Tenez pendant deux temps. En expirant, reposez la jambe au sol en deux temps.
- Recommencez avec l'autre jambe. Répétez cet exercice 5 fois avec chaque jambe, en changeant de jambe à chaque fois.s

1
2

Élévation des deux jambes

↘ **Cible : les abdominaux et les ischio-jambiers.**

- Allongez-vous sur le sol, jambes fléchies à angle droit, pieds parallèles et écartés de la largeur des hanches. Placez les bras le long du corps.
- En inspirant, contractez lentement vos muscles abdominaux et soulevez une jambe pour amener le genou au-dessus de la hanche tout en conservant la jambe fléchie à angle droit. Amenez ensuite la deuxième jambe dans la même position et tenez pendant deux temps.
- Expirez et laissez redescendre d'abord la première jambe en deux temps, puis l'autre. Prenez soin de contrôler la descente des jambes à l'aide des abdominaux.
- Répétez cet exercice 10 fois.

CONSEIL

Lorsque vous soulevez les jambes, votre colonne vertébrale devrait rester à plat et vos mains détendues, de sorte que tout le travail difficile soit fait par les muscles du centre.

Les obliques

↘ **Cible : les muscles des côtés du buste. Affine la taille.**

- Allongez-vous sur le sol, genoux fléchis, pieds posés au sol, parallèles et écartés de la largeur des hanches. Placez une main derrière la tête et l'autre le long du corps **[1]**. Inspirez.
- Sur l'expiration, creusez vos abdominaux, enroulez la tête et la cage thoracique en les soulevant du sol (fixez vos genoux du regard et n'amenez pas la tête en avant en tirant sur la nuque). Faites pivoter votre buste et déplacez le bras libre vers le genou opposé **[2]**. Expirez et déroulez-vous sur le sol.
- Répétez cet exercice 5 fois de chaque côté.

CONSEIL

Si cet exercice est trop difficile, gardez les deux bras derrière la tête et dirigez l'un de vos coudes en direction du genou opposé lorsque vous vous enroulez. Déroulez-vous et recommencez de l'autre côté.

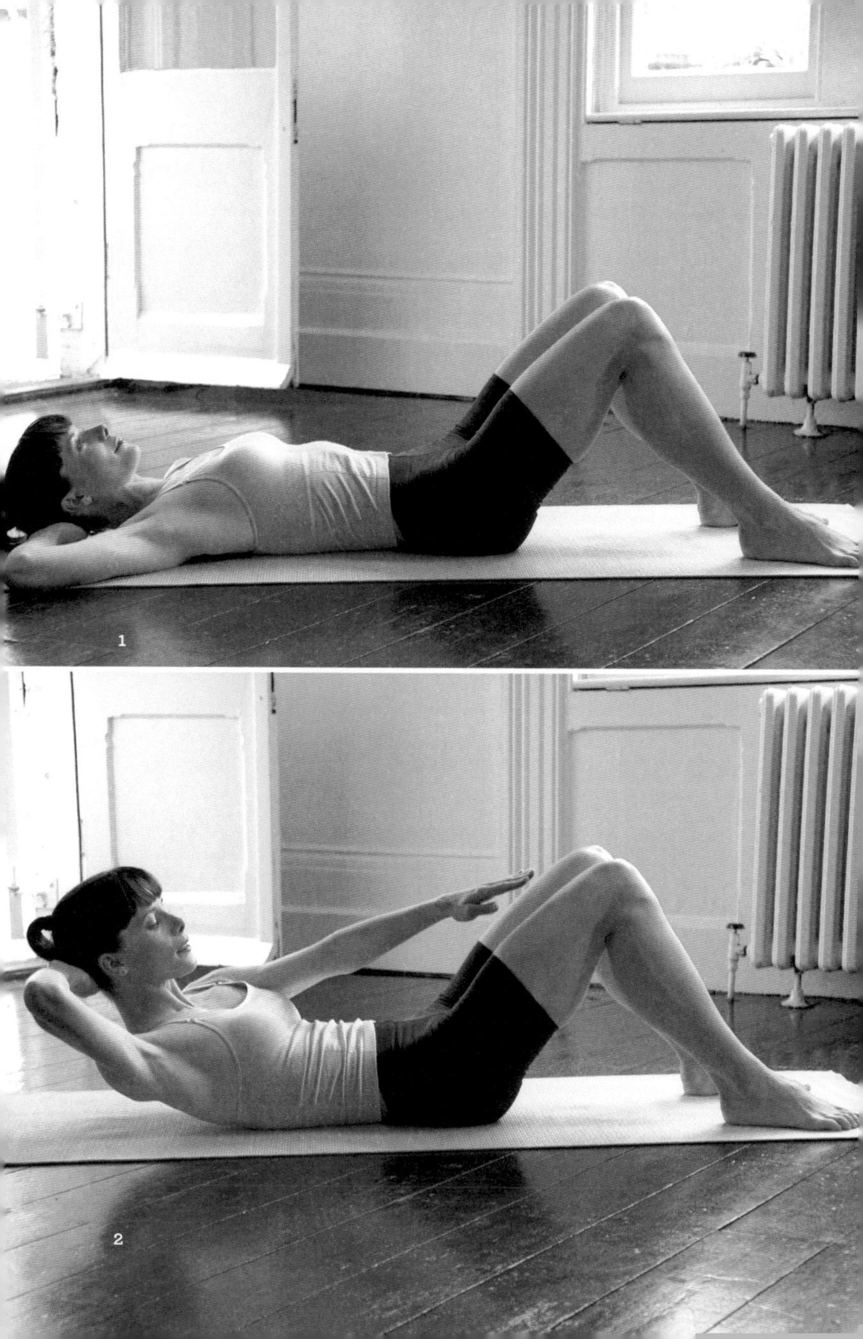
1
2

Le chien

↘ **Cible : les triceps.**

- Faites face au sol à quatre pattes. Placez les genoux sous les hanches, les bras sous les épaules et la tête dans l'alignement du dos en ligne droite **[1]**.
- En respirant normalement et en conservant le dos plat, soulevez une jambe, tout en la gardant fléchie à angle droit **[2]**. Amenez-la dans l'alignement des hanches, puis revenez en position de départ.
- Répétez cet exercice 5 fois pour chaque jambe.

CONSEIL

Pensez à respirer normalement au cours de cet exercice.

1
2

Opposition bras/jambe

- Mettez-vous à quatre pattes sur le sol. Placez les genoux sous les hanches, les bras sous les épaules et la tête dans l'alignement du dos en ligne droite. Tirez les épaules vers le bas.
- Inspirez et, tout en contractant vos abdominaux pour vous soutenir, étirez à la fois un bras et la jambe opposée. Amenez le bras dans l'alignement de l'épaule, la jambe dans l'alignement de la hanche et étirez les doigts et les orteils.
- Expirez et revenez en position de départ. Recommencez avec l'autre bras et l'autre jambe.
- Répétez cet exercice 5 fois pour chaque jambe, en changeant de jambe à chaque fois.

Du sphinx au déroulement de la colonne

↘ **Cible : la colonne vertébrale, les abdominaux et le cou.**

- Mettez-vous face au sol, à quatre pattes. Sans déplacer vos mains, descendez les fesses pour vous asseoir sur les talons. Étendez les mains sur le sol le plus loin possible devant vous (imaginez un sphinx). Vos fesses devraient maintenant reposer sur vos talons et votre front sur le sol **[1]**.
- À partir de cette position, inspirez et, tout en rentrant le nombril en direction de la colonne, déroulez le dos lentement, vertèbre par vertèbre, afin d'arriver en position agenouillée. Gardez les fesses sur les talons et laissez les bras pendre le long du corps. **[2]**
- Expirez et enroulez-vous de nouveau pour revenir en position de départ. Répétez cet exercice 5 fois.

1
2a
2b

Les palourdes (I)

↘ **Cible : les fessiers.**

- Allongez-vous sur un côté, genoux pliés devant vous, pieds joints (la plante des pieds dans l'alignement du dos) et ventre rentré. Gardez le bras du dessous étendu sous la tête et l'autre main posée sur le sol devant vous pour vous soutenir **[1]**.
- Inspirez. Sur l'expiration, soulevez le genou du dessus afin de le pointer vers le plafond tout en gardant les pieds joints et les fesses fermes (imaginez vos genoux s'ouvrir comme la coquille d'une palourde). Prenez soin de ne pas laisser votre taille s'enfoncer **[2]**.
- Inspirez et revenez en position de départ.
- Répétez cet exercice 10 fois avec chaque jambe.

CONSEIL

Ne laissez pas votre hanche basculer vers l'extérieur lorsque vous déplacez le genou.

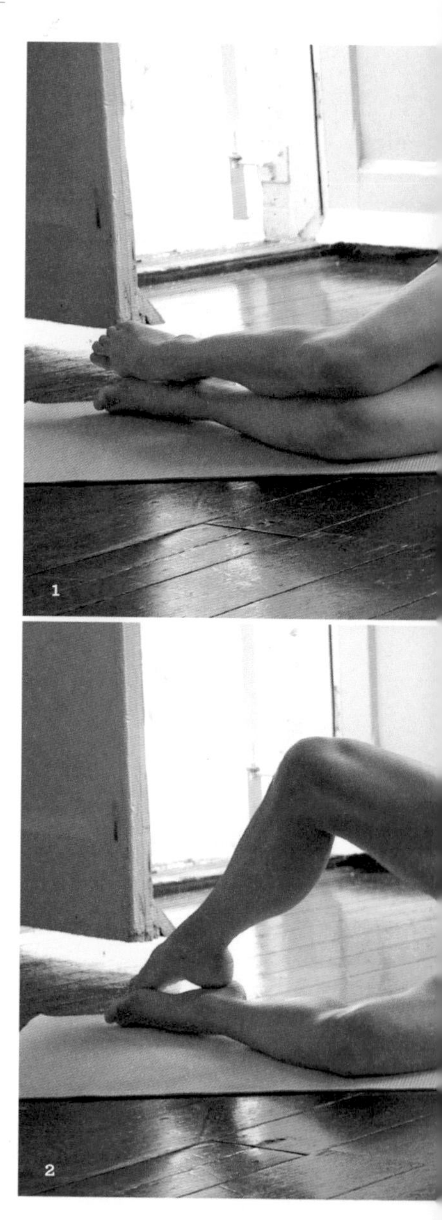

Les paloudres (II)

↘ Cible : les fessiers.

- Allongez-vous sur un côté, genoux pliés devant vous, pieds joints (la plante des pieds dans l'alignement du dos) et ventre rentré. Gardez le bras du dessous étendu sous la tête et l'autre main posée sur le sol devant vous afin de vous soutenir.
- Inspirez. Sur l'expiration, soulevez le genou du dessus afin de le pointer vers le plafond, tout en prenant soin de ne pas laisser la taille s'enfoncer. En gardant la jambe dans cette position, soulevez-la en direction de la hanche.
- Respirez normalement et faites redescendre votre jambe jusqu'à ce que les pieds se touchent.
- Répétez cet exercice 10 fois pour chaque jambe.

Soulevés des muscles intérieurs des cuisses

↘ **Cible : l'intérieur des cuisses.**

- Allongez-vous sur un côté et placez la jambe et le genou du dessus devant vous sur un coussin. La jambe du dessous reste tendue. Ne laissez pas votre hanche basculer vers l'avant : elle doit rester sur le même plan que la colonne. Gardez un bras étendu sous la tête et l'autre devant vous afin de vous soutenir **[1]**.
- En respirant normalement, fléchissez le pied de la jambe du dessous. Soulevez la jambe du dessous et allongez-la en l'éloignant du sol. Tenez pendant dix temps **[2]**.
- Tournez-vous et recommencez avec l'autre jambe.

CONSEIL

Poussez dans le talon, afin d'allonger votre jambe lorsque vous la soulevez.

1
2

Remontée de la hanche

Cet exercice permet d'assouplir une partie du corps où les muscles peuvent devenir assez tendus.

- Allongez-vous au sol sur le dos, les jambes tendues et écartées de la largeur des hanches. Les bras reposent le long du corps. Rentrez le ventre. Gardez les côtes abaissées et le buste détendu.
- En gardant les fesses au sol, faites remonter une hanche vers la taille pendant que vous étirez l'autre jambe (imaginez la jambe s'écarter de l'articulation de la hanche).
- Répétez cet exercice 5 fois de chaque côté.

Mouvements de « huit »

↘ **Cible: les triceps.**

- Tenez-vous debout face à un miroir, bien campé sur vos jambes. Les pieds sont écartés de la largeur des hanches et les genoux légèrement fléchis, les bras le long du corps et le ventre rentré.
- Inspirez et, tout en gardant les bras tendus, croisez-les devant vous. Les paumes des mains se font face mais ne se touchent pas **[1]**.
- Puis tournez les bras vers l'extérieur, de sorte que la paume des mains soit face au plafond. En conservant les épaules abaissées, lancez les bras vers l'extérieur et derrière vous le plus loin possible **[2]**.
- Maintenant, tournez les bras vers l'intérieur de sorte que la paume des mains soit orientée vers l'arrière, puis lancez les bras pour revenir en position de départ.
- Répétez cet exercice 10 fois.

CONSEIL

Imaginez chacun des bras dessiner un grand « huit ». L'ensemble du mouvement doit être continu et fluide.

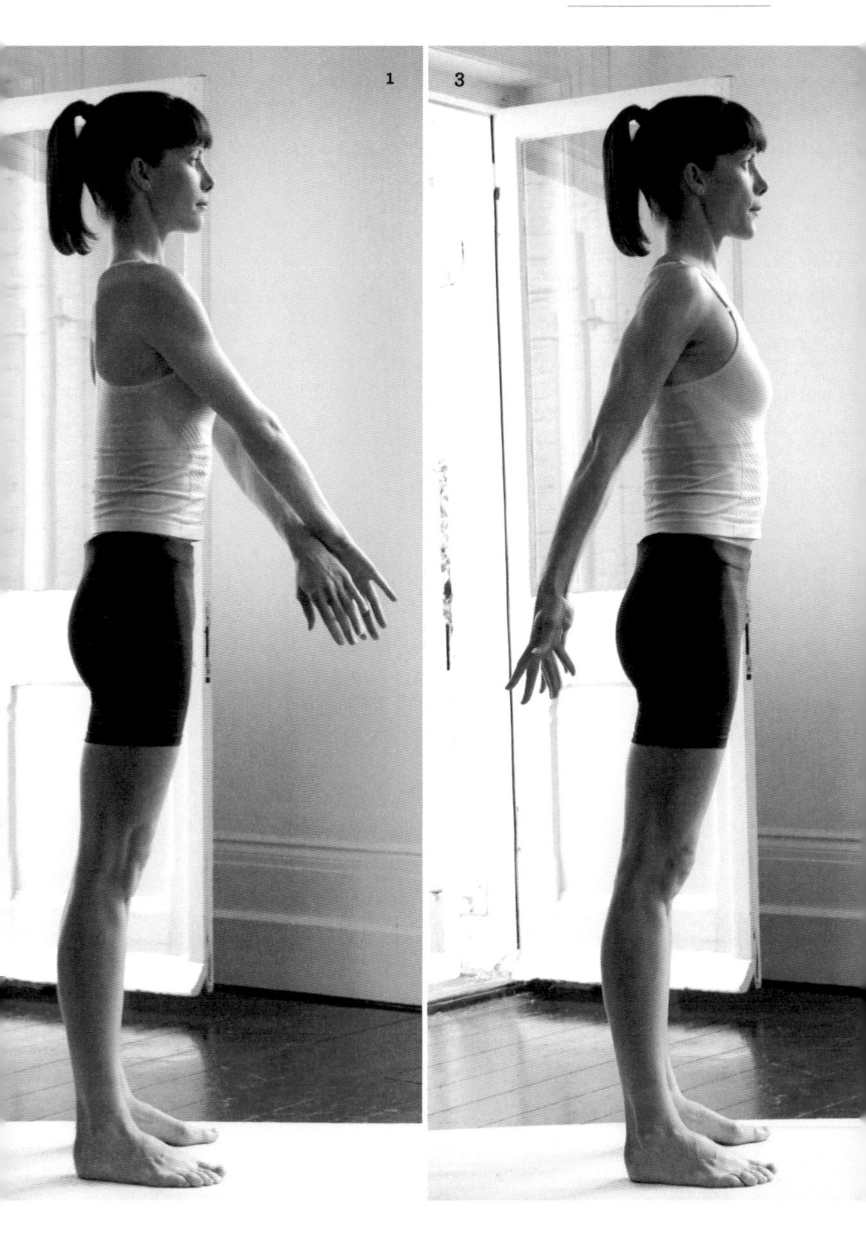
1
3

Les centaines en ciseaux (derrière)

↘ Cible: les triceps.

1

- Tenez-vous debout, pieds écartés de la largeur des hanches, jambes légèrement fléchies, épaules tirées vers le bas et ventre rentré. Placez les bras le long du corps, la paume des mains face à l'arrière.
- Tout en gardant les bras tendus, poussez-les vers l'arrière le plus loin possible **[1]**.
- À partir de cette position, croisez les bras derrière vous **[2]**, puis laissez-les revenir et ensuite croisez-les de nouveau derrière vous, en mouvements de ciseau. Lorsque vous croisez les paumes de vos mains derrière vous, alternez la main du dessus.
- Poursuivez ce mouvement de manière contrôlée. L'objectif est de procéder à une centaine de battements.

CONSEIL

Pensez à respirer normalement au cours de cet exercice.

2

Le chat et le chat à l'envers

↘ Cible : les muscles du dos, du cou et des épaules.
Étire la colonne vertébrale.

- Mettez-vous à quatre pattes sur le sol. Les genoux sont sous les hanches et les bras sous les épaules. Prenez soin à ce que la tête soit dans l'alignement de votre colonne et que votre ventre soit rentré.
- Inspirez et poussez la colonne vertébrale vers le haut pour arrondir votre buste (imaginez un chat arrondir le dos). Relâchez le cou et laissez la tête pendre **[1]**.
- À partir de cette position, expirez, abaissez le nombril vers le sol, puis soulevez le sternum et la tête en direction du plafond **[2]**.
- Répétez cette séquence d'exercice 5 fois.

1
2

La barre au sol

Une fois l'échauffement Pilates achevé, vous voici prêt à commencer la partie principale de mon programme : la barre au sol que j'ai adaptée pour des gens qui n'ont jamais pris un cours de danse. Il s'agit d'un type d'exercices très précis et techniques, qui présentent d'importants bénéfices pour le corps. L'ensemble d'exercices qui suit est progressif : chaque exercice vous donne la force, l'équilibre et la technique qui vous préparent à l'étape suivante. Les mouvements sont aussi répétés selon des séquences variées, afin d'échauffer lentement vos muscles et de s'inscrire dans votre mémoire. Ne sautez pas de parties ou ne réalisez pas à toute allure les exercices que vous trouvez plus faciles. Plus vous suivez la barre au sol et l'intégrez dans votre programme d'exercices, plus les exercices seront faciles à suivre, plus vos muscles réagiront rapidement et vous constaterez des résultats étonnants pour votre corps.

Les bases de la barre au sol

Avant de commencer tout exercice de danse, il convient de se placer correctement à la barre. Il en est de même pour la barre au sol. Tournez toujours vos jambes en dehors (c'est ainsi que l'on appelle la rotation des jambes dans la danse).

➔ Rotation

- Allongez-vous sur le sol, jambes tendues. Rentrez doucement le nombril en direction de la colonne vertébrale et gardez le haut du corps détendu.
- Faites pivoter maintenant les jambes vers l'extérieur, en commençant le mouvement au sommet des cuisses. Pour vous aider, imaginez le sommet des cuisses s'enrouler autour des fesses. Si vous le faites correctement, vos hanches s'ouvriront vers l'extérieur et vos pieds se placeront en première position : talons joints et orteils pointés vers l'extérieur.
- Restez 30 secondes allongé dans cette position afin de vous habituer à la sensation.

➔ La jambe d'appui

Dans le travail de barre au sol et de barre, chaque mouvement commence de la jambe droite. La jambe d'appui, qu'on appelle la « jambe de terre », doit rester immobile et tournée en dehors pendant chaque exercice. Cela permet de garder la hanche opposée ouverte et de soutenir la jambe qui se déplace.

Pointé du pied

Nous imaginons tous pouvoir parfaitement pointer du pied, mais en danse, un pied parfaitement pointé est un pied tendu et long, qui ne se termine pas par des orteils enroulés ou entortillés. C'est la position qui renforce le plus le pied entier.

- Asseyez-vous contre un mur, jambes tendues devant vous. Fléchissez les pieds de sorte que vos mollets soient étirés et que vos orteils pointent en direction du plafond **[1]**.
- Maintenant, tout en gardant les orteils détendus, tendez le pied et pointez les orteils sans les enrouler. Imaginez que vous créez une ligne droite avec le pied. Voici un pied pointé **[2]**.

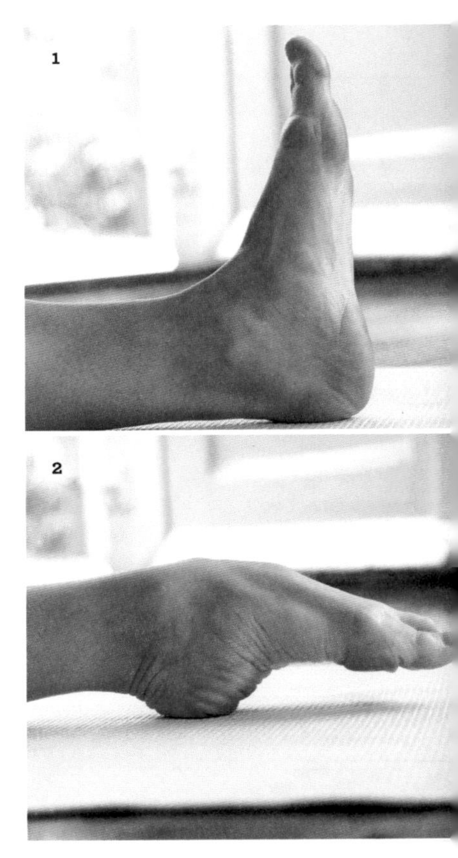

Les cinq positions des jambes et des bras en position allongée

Les positions des bras doivent être prises en un mouvement souple, fluide et continu plutôt que de manière rapide et saccadée.

1 Position préparatoire

↘ Jambes

Allongez-vous sur le sol, pieds contre un mur. En gardant les talons joints, faites pivoter les jambes vers l'extérieur à partir des hanches. Les pieds sont fléchis et les orteils pointés vers l'extérieur.

↘ Bras

Les épaules et le haut du corps restent détendus, les bras sont longs et légèrement arrondis en forme d'ovale allongé. Les paumes des mains reposent sur vos hanches, juste en dessous du bassin. Les coudes sont soulevés du sol.

2 Première position

↘ Jambes

La première position des jambes est identique à la position préparatoire : pieds joints, jambes tournées en dehors depuis les hanches, pieds fléchis et orteils pointés vers l'extérieur.

Bras

En partant de la position préparatoire, amenez les mains devant votre corps à hauteur du nombril, en gardant les bras longs et légèrement arrondis, la paume des mains face au nombril. Imaginez que vous enlacez un grand ballon de plage.

3 Deuxième position

↘ Jambes

En partant de la première position (gauche), faites glisser les pieds de côté le long du mur jusqu'à ce que les talons soient écartés un tout petit peu plus que la largeur des hanches. Le poids du corps est également réparti entre les deux jambes. Les jambes sont tournées en dehors, les pieds fléchis et les orteils pointés vers l'extérieur.

↘ Bras

En allongeant les doigts, ouvrez les bras de chaque côté du corps, juste en dessous de la hauteur des épaules. Vos bras doivent être légèrement incurvés et la paume des mains orientée vers le plafond. La partie supérieure des bras doit reposer légèrement sur le sol.

1
2
3

4 Troisième position

↘ Jambes

En partant de la deuxième position, faites glisser vos deux pieds pour revenir en première position et placez le pied droit devant le pied gauche, le talon droit touchant le milieu du pied gauche en dessous de l'articulation des orteils. Les jambes sont tendues et tournées en dehors, les pieds fléchis et les orteils pointés vers l'extérieur. Il est possible que ce soit difficile la première fois.

↘ Bras

Il n'existe pas de troisième position pour les bras en position allongée. Revenez en position préparatoire.

5 Quatrième position

↘ Jambes

En partant de la troisième position, soulevez le pied droit afin de le placer devant le pied gauche, à peu près à un pas de celui-ci. Gardez les jambes tendues et tournées en dehors, les pieds fléchis et les orteils pointés vers l'extérieur, et soutenez-vous à l'aide du ventre.

↘ Bras

En partant de la position préparatoire, commencez par soulever les bras en première position, puis faites monter le bras gauche au-dessus de votre tête de sorte que la paume de la main soit orientée vers le front et que vous puissiez continuer de la voir sans avoir à bouger la tête. Ouvrez le bras droit en deuxième position. Gardez les deux bras légèrement arrondis.

RÈGLES DE BASE

- Pour les exercices de barre au sol, inspirez pour engager le mouvement et soufflez pendant l'effort, mais respirez normalement tout au long.
- La position de départ de tous les exercices de barre au sol est allongé sur le sol, jambes tendues et tournées en dehors, pieds en première position, muscles du ventre engagés et bras en deuxième position (voir page 70).
- Familiarisez-vous avec les positions de danse décrites dans les pages précédentes en effectuant 6 fois chacune d'elles.
- Pour les exercices de barre au sol, travaillez toujours en commençant avec le pied droit.

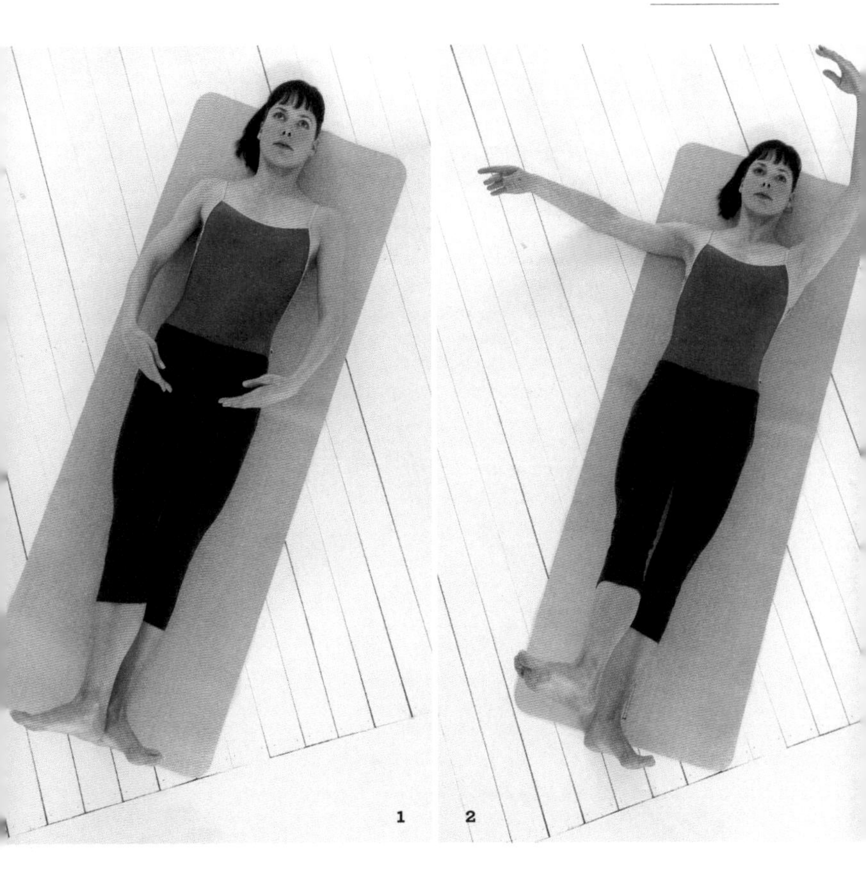
1
2

6 Cinquième position

↘ Jambes

En partant de la quatrième position, abaissez le pied droit pour que le talon soit contre votre gros orteil gauche. Votre genou droit est au-dessus du genou gauche, les jambes tendues et tournées en dehors, les pieds fléchis et les orteils pointés vers l'extérieur. Cette position est difficile à adopter allongé ; il est plus facile debout de tourner les jambes en dehors car le poids du corps vous aide. Faites simplement du mieux que vous pouvez et ne forcez pas vos jambes à adopter la position.

↘ Bras

En partant de la quatrième position, soulevez le bras droit au-dessus de votre tête de sorte que la paume des deux mains soit orientée vers le front. Les bras sont légèrement arrondis. En cinquième position, vous devez toujours pouvoir voir vos mains sans avoir à bouger la tête.

TERMINOLOGIE DE LA DANSE

- **Demi-plié** (demi-flexion des genoux)
- **Demi-plié** (flexion profonde des genoux)
- **Tendu** (mouvement dans lequel le pied brosse la surface d'appui soit vers l'avant (devant) soit vers le côté (en seconde))
- **Glissé** (mouvement dans lequel le pied glisse sur le sol et décolle)
- **Relevé** (montée sur demi-pointes)
- **Cou-de-pied** (position de danse dans laquelle un pied est placé devant la cheville opposée)
- **Fondu** (flexion du genou avec une seule jambe)
- **Rond de jambe** (demi-cercle décrit par le pied à terre ou en l'air)
- **Frappé** (mouvement de frappe du pied)
- **Adagio** (mouvement lent)
- **Grand battement** (lancé haut de la jambe)
- **Port de bras** (mouvement des bras d'une position à une autre)

6

Échauffement (I)

- Asseyez-vous bien droit sur le sol, les genoux pliés et les pieds parallèles devant vous. Redressez-vous en vous dégageant des hanches et laissez les bras vous soutenir de chaque côté du corps. Rentrez le nombril en direction de la colonne vertébrale afin de soutenir votre dos. Imaginez que le sommet du crâne cherche à toucher le plafond. Inspirez.
- Soufflez. Décollez les bras du sol et amenez-les en première position (bras devant vous, paumes à hauteur du nombril et orientées vers l'intérieur). Maintenez les épaules tirées vers le bas, le haut du corps détendu et les bras légèrement arrondis. Inspirez **[1]**.
- Soufflez et en partant de cette position, allongez les jambes sur le sol. Restez assis bien droit et dégagé des hanches. Pointez les pieds en gardant les jambes parallèles **[2]**. Maintenez les orteils relâchés et tendez les pieds de sorte que vos orteils pointent en direction du mur situé face à vous (imaginez vos pieds et orteils comme une extension de votre jambe qui pointerait dans une même direction).
- Inspirez et tirez vos jambes en arrière pour revenir en position de départ. Étendez-les de nouveau. Pointez les pieds puis fléchissez-les, puis pointez-les et fléchissez-les de nouveau. Ramenez les jambes en position de départ et posez les mains au sol au niveau de vos côtés.
- Recommencez 4 fois cet exercice.

➔ Niveau avancé

- Réalisez l'échauffement en suivant les mêmes étapes, mais en démarrant les genoux pliés et ouverts vers l'extérieur et les pieds en dehors et en première position (talons joints, pieds fléchis et orteils pointés vers l'extérieur) **[3]**.
- Assurez-vous de maintenir les pieds dans cette position lorsque vous étendez les jambes, les retirez et les étendez de nouveau **[4]**.
- Puis pointez et fléchissez les pieds deux fois, tout en gardant les pieds en première position **[5]**.

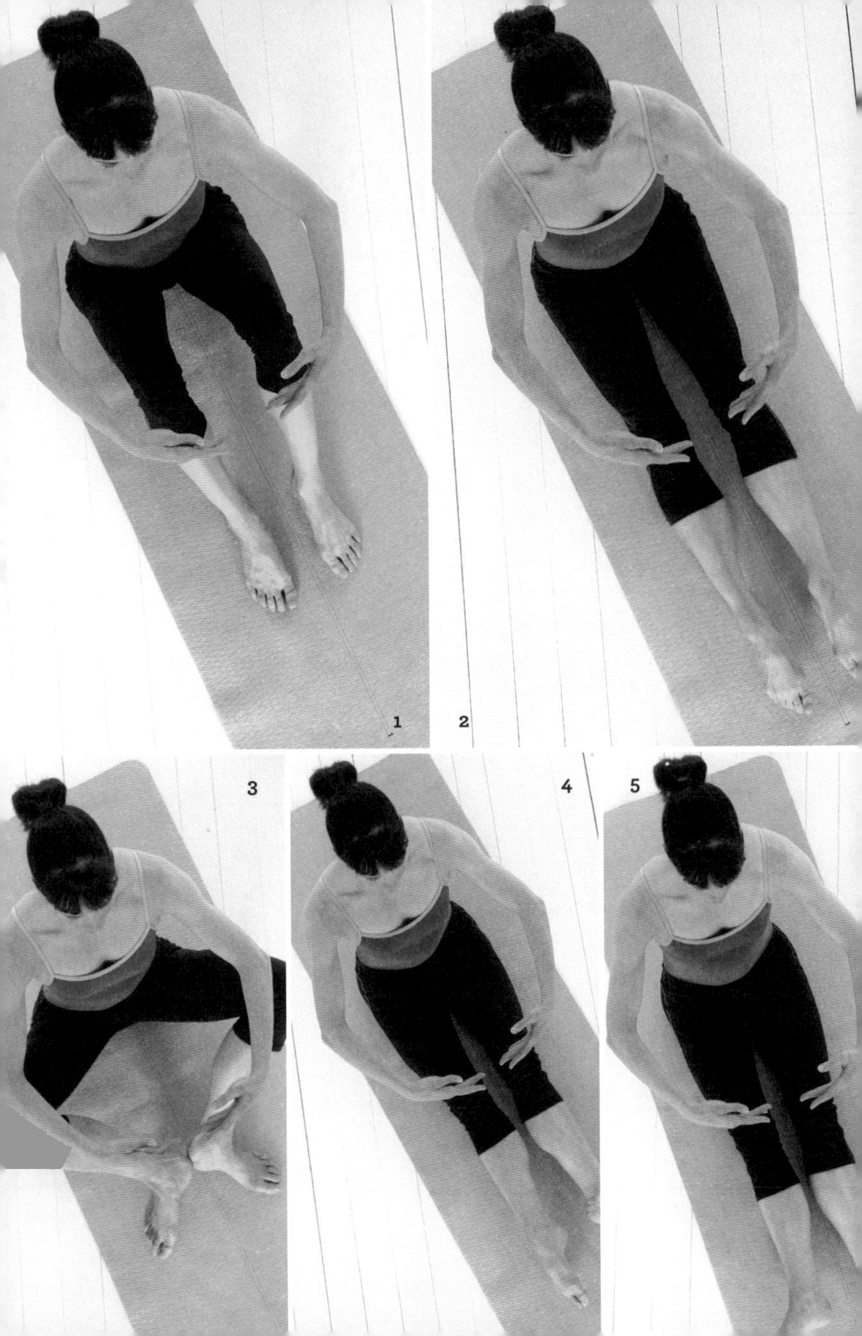
1
2
3
4
5

Échauffement (II)

- Allongez-vous au sol, sur le dos, jambes tendues et parallèles, bras le long du corps. Rentrez le ventre et relâchez le haut du corps. Inspirez. Soufflez. Gardez les épaules tirées vers le bas et le haut du corps détendu. Vos bras doivent reposer le long de votre corps, les paumes des mains près des hanches **[1]**.
- Inspirez et, en pliant les genoux, ramenez les pieds, orteils pointés, en direction du coccyx en brossant le sol pour arriver le plus près possible du coccyx.
- Soufflez et laissez les talons retomber sur le sol. Faites glisser les jambes le long du sol pour revenir en position de départ. Retirez les jambes en direction du coccyx et étendez-les de nouveau. Puis, pointez les orteils, fléchissez-les, puis pointez-les et fléchissez-les de nouveau **[2]**.
- Recommencez cet exercice 4 fois.

➔ Niveau avancé

- Réalisez l'échauffement II en suivant les mêmes étapes, mais en démarrant jambes tendues et tournées en dehors, pieds en première position **[3]**.
- Pointez vos pieds lorsqu'ils glissent en direction du coccyx, de sorte que vos orteils se touchent en haut du mouvement **[4]**. Les genoux pointent vers l'extérieur en position de grenouille.
- Puis allongez les jambes, en ramenant les pieds en première position. Pointez et fléchissez les pieds deux fois.

1
2
3
4

Échauffement (III)

- Allongez-vous au sol, sur le ventre, jambes tendues et parallèles, mains sous le front. Rentrez le ventre et relâchez le haut du corps **[1]**.
- En respirant normalement, pointez les orteils et soulevez les jambes à angle droit par rapport au sol. En fléchissant les pieds, redescendez les jambes au sol. Lorsque vos orteils touchent le sol, tendez les jambes en décollant les cuisses du sol. Relâchez les jambes **[2]**.
- Recommencez cet exercice 4 fois.

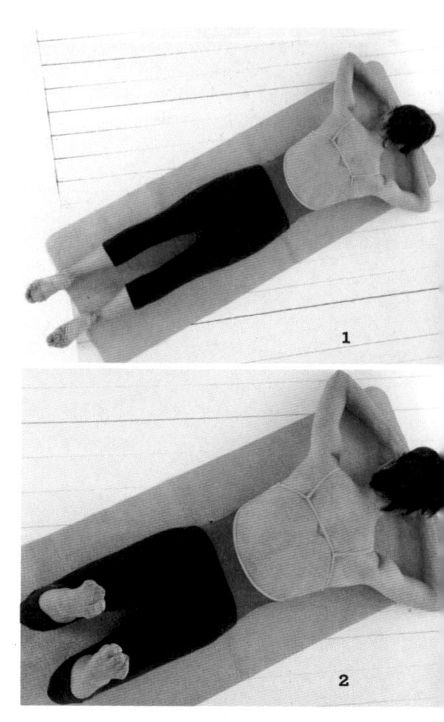

Position initiale

- Voici la position initiale pour tous les exercices de barre au sol. Allongez-vous au sol sur le dos, jambes tendues et tournées en dehors depuis les hanches, pieds en première position (talons joints, pieds fléchis et orteils pointés vers l'extérieur), abdominaux tenus (pensez nombril contre colonne).
- Levez les bras en deuxième position : commencez par les amener devant votre corps en première position, puis, en allongeant les doigts, ouvrez les bras de chaque côté du corps juste en dessous du niveau des épaules. Vos bras doivent être légèrement arrondis et la paume des mains orientée vers le haut. Vous devriez toujours amener vos bras en deuxième position de cette manière.

CONSEIL

Si votre tête n'est pas bien installée, placez une petite serviette roulée sous votre nuque.

Pliés en première

Les pliés sont la base de tout ce que vous faites en danse. Il est donc important de bien les maîtriser.

- Placez-vous au centre de la pièce en position initiale pour la barre au sol **[1]**.
- En partant de cette position, effectuez un *demi-plié* (demi-flexion des genoux) en fléchissant les deux genoux et en remontant les deux talons sur le sol à mi-chemin en direction du coccyx. Imaginez que vous prenez la forme d'une grenouille au sol avec vos jambes : vos genoux restent pointés vers l'extérieur et vos talons restent en première position lorsque vous tirez les jambes vers le coccyx **[2]**.
- Arrivé au sommet du mouvement, poussez dans les talons et les cuisses pour revenir en première position.
- Comptez jusqu'à deux pour remonter vos pieds et jusqu'à deux pour les étendre. Contractez les muscles du ventre tout au long de l'exercice. Recommencez cet exercice 2 fois.

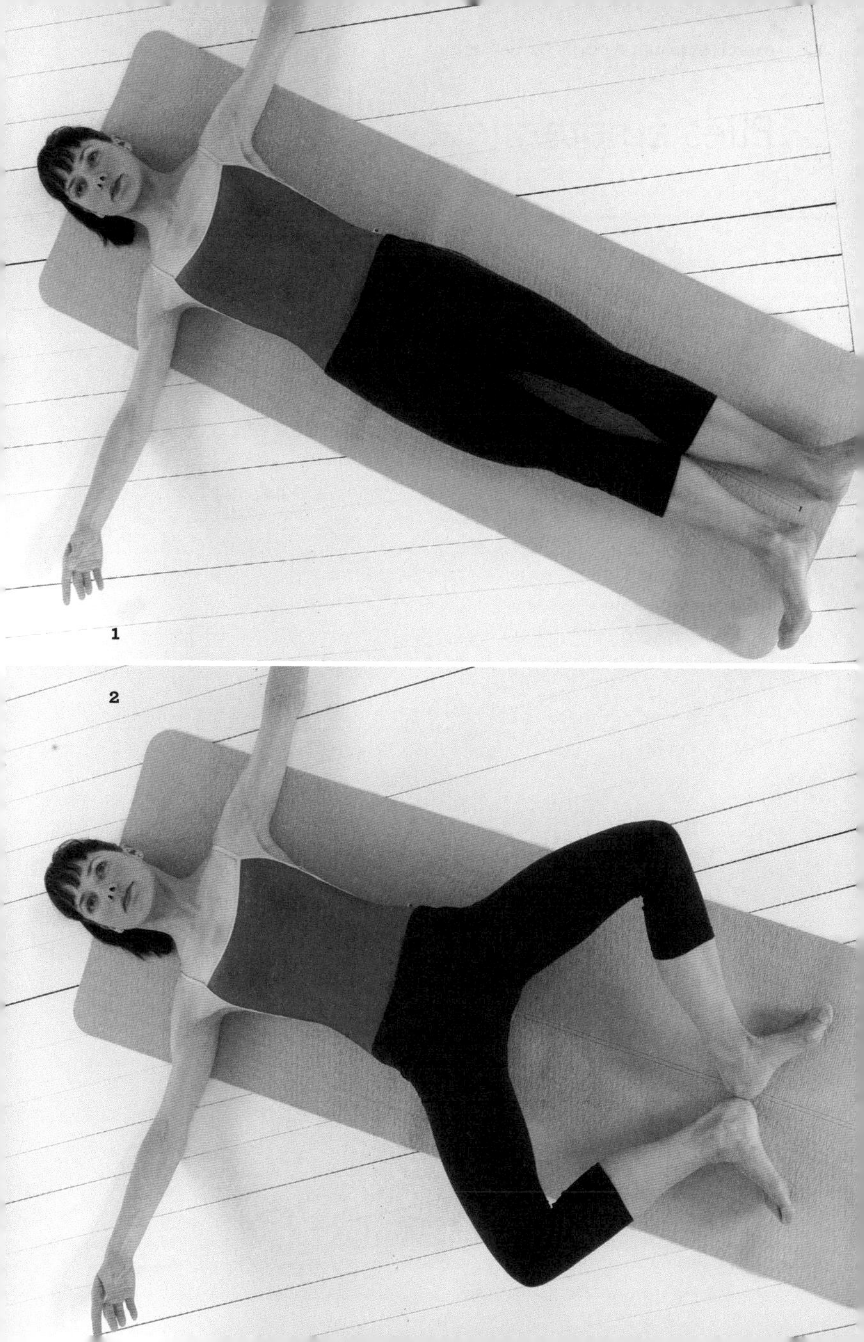

Pliés avancés

↘ Cible: l'intérieur des cuisses, les abdominaux et les fessiers.

- Restez au centre de la pièce et placez-vous en position initiale pour la barre au sol.
- Effectuez cette fois un *grand plié* (flexion profonde des genoux) en pliant les deux genoux et en faisant remonter les talons le long du sol aussi haut que possible. Les genoux restent pointés vers l'extérieur et les pieds demeurent en première position.
- Arrivé au sommet du mouvement, poussez dans les talons et les cuisses pour revenir en première position.
- Prenez quatre temps pour remonter les pieds et quatre temps pour étendre les jambes. Gardez les muscles du ventre contractés tout le long de l'exercice. Recommencez 2 fois.

CONSEIL

Au début, vos genoux ne reposeront pas à plat sur le sol. Cependant, au fur et à mesure que vous progresserez, vos hanches s'ouvriront, les muscles intérieurs des cuisses se détendront et vos genoux se rapprocheront du sol.

Pliés en seconde

↘ Cible : l'intérieur des cuisses ; ouvre les hanches.

Le plié est beaucoup plus difficile à réaliser en seconde, et d'autant plus au sol. Lorsque nous autres danseurs effectuons à la barre un plié en seconde, le poids du corps nous aide à nous mettre en position.

- Déplacez-vous vers un mur et mettez-vous en position initiale pour la barre au sol.
- Faites glisser les deux pieds en deuxième position jusqu'à ce que la distance entre vos talons soit à peu près de la largeur des hanches. Laissez tomber les talons afin que vos pieds soient alignés. Votre poids est également réparti entre les deux jambes et vos jambes tournées en dehors.
- Depuis cette position, effectuez deux *demi-plié*, en gardant les genoux pointés vers l'extérieur et les pieds en seconde (imaginez la forme d'une étoile de mer).
- Comptez jusqu'à quatre pour faire remonter les jambes et jusqu'à quatre pour les étendre et revenir en deuxième position. Recommencez 2 fois cet exercice.

➔ Exercice avancé

- En démarrant en position initiale, faites glisser les pieds vers l'extérieur en seconde position. Effectuez un grand plié.
- Prenez quatre temps pour remonter les jambes et quatre temps pour étendre les jambes et revenir en seconde.
- Recommencez deux fois cette séquence.

CONSEIL

Ne supportez pas toute la tension dans les fléchisseurs des hanches (les muscles tout en haut des jambes qui rattachent les hanches aux cuisses). Essayez de vous forcer à relâcher la tension à cet endroit et servez-vous plutôt de l'intérieur de vos cuisses pour faire remonter vos jambes. Imaginez la sensation de pousser dans les talons lorsque vous étendez les jambes.

Plié relevé

↘ **Échauffe : les pieds, les chevilles et les mollets.**

↘ **Cible : les ischio-jambiers, l'intérieur des cuisses et les pieds.**

- Restez contre le mur et placez-vous en position initiale pour la barre au sol. Effectuez un *demi-plié* **[1]**.
- Lorsque vos jambes retournent en première position, poussez sur la partie antérieure de la plante des pieds pour monter en demi-pointe **[2]**.
- Ramenez les pieds en première position dans laquelle ils sont fléchis. Vous ne pourrez pas revenir contre le mur car votre corps se sera naturellement déplacé lorsque vous serez monté en demi-pointes.
- Retournez contre le mur et recommencez 6 fois cet exercice.

2

Plié relevé en seconde

↘ Cible : les pieds, les cuisses et les mollets.

- Placez-vous en position initiale pour la barre au sol **[1]**. Faites glisser les jambes vers l'extérieur en deuxième position. Effectuez un *demi-plié*, tout en gardant les pieds en seconde.
- Lorsque vous tendez les jambes, poussez sur la partie antérieure de la plante des pieds **[2]**. Ramenez les pieds en seconde position, dans laquelle les pieds sont fléchis.
- Retournez contre le mur et recommencez 6 fois cet exercice.

1
2

Plié tendu devant

↘ Cible : les muscles des pieds, les ischio-jambiers et les mollets.

Tendu signifie « brosser ». Dans les tendus, le talon se déplace toujours en premier. J'utilise pour astuce l'image de mon talon poussant une pile de sable le long du mur pendant que je brosse le mur du pied vers le haut ou sur le côté

- Retournez vers le mur et placez-vous en position initiale pour la barre au sol. Effectuez un *demi-plié* **[1]**.
- Lorsque vos jambes reviennent en première position, faites un *tendu* devant du pied droit (brossez vers l'avant) en faisant monter le pied le long du mur, tout en conservant le talon contre le mur le plus longtemps possible **[2]**. Imaginez que vous poussez du sable avec le talon en le faisant monter le long du mur en ligne droite.
- Arrivé au sommet du mouvement, votre talon se décollera naturellement du mur. À ce moment-là, pointez le pied de sorte que vos orteils restent en contact avec le mur **[3]**. En vous servant de vos orteils pour vous guider, faites glisser le pied le long du mur, vers le bas, pour revenir en première position.
- Recommencez 5 fois cet exercice avec chaque jambe.

CONSEIL

La jambe d'appui, la hanche et le coccyx doivent rester ancrés dans le sol pendant que la jambe opposée s'élève le long du mur et en l'air.

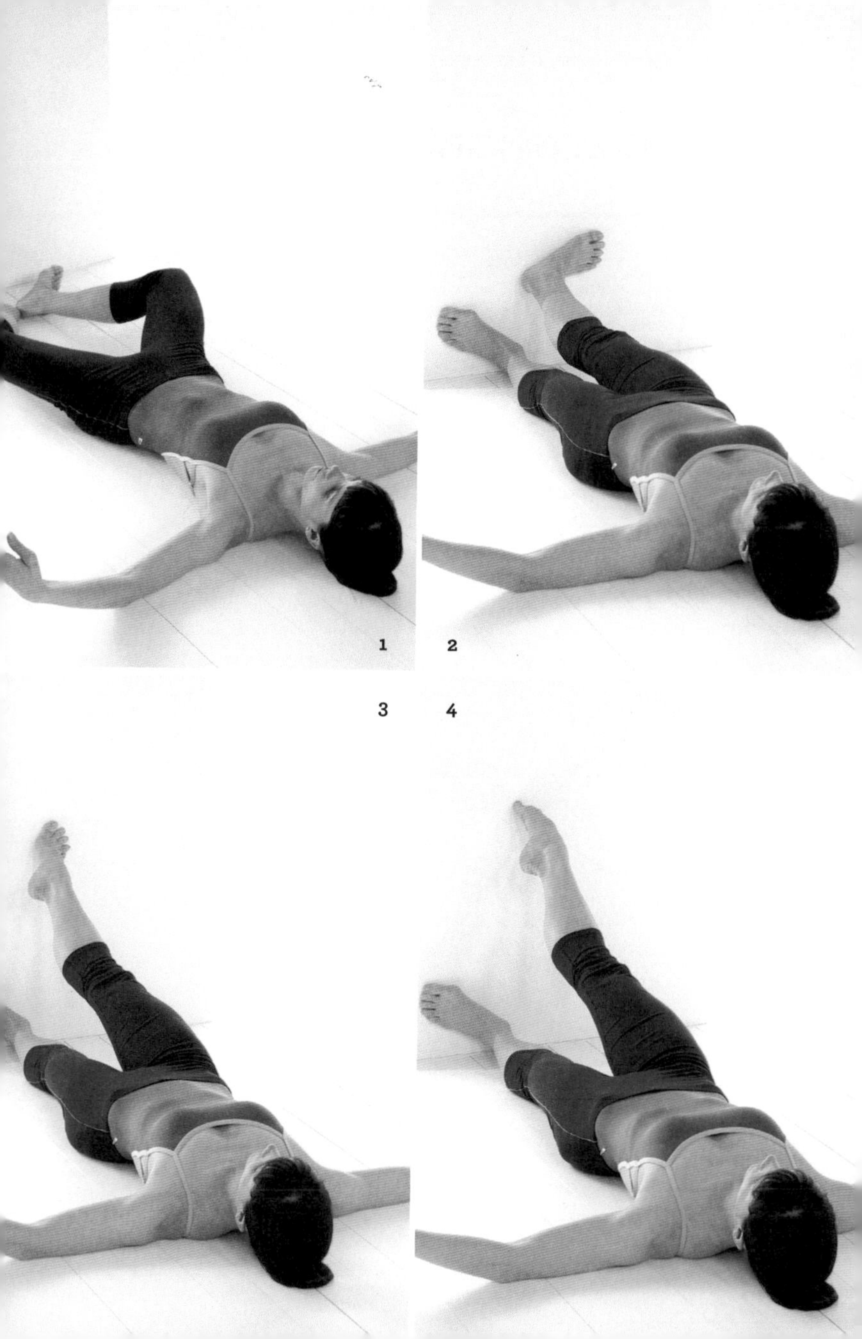
1
2
3
4

Plié tendu en seconde

↘ **Cible : l'intérieur des cuisses et les fessiers.**

- Restez contre le mur et placez-vous en position initiale pour la barre au sol.
- Effectuez un *demi-plié* **[1]**, puis un *tendu en seconde* avec le pied droit (faites glisser le pied droit sur le côté en brossant le mur pour venir en seconde position) jusqu'à ce que le talon décolle naturellement du mur.
- Maintenant, pointez le pied **[2]**. Vos orteils doivent rester en contact avec le mur. Ramenez ensuit le pied en première position, en vous servant de l'intérieur de vos cuisses et en tirant à l'aide du talon.
- Le mouvement entier doit durer quatre temps. Recommencez 5 fois cet exercice avec chaque jambe.

CONSEIL

Ne soulevez pas du tout la hanche de soutien et gardez tout le temps les hanches au même niveau.

Tendu

↘ Cible : l'intérieur des cuisses, les ischio-jambiers et les pieds.

Les tendus permettront de bien tonifier vos pieds et vos jambes et vous aideront à donner belle allure à vos pieds. Ils sont aussi excellents pour dessiner les muscles des mollets et les cuisses. Cet exercice est décomposé en trois parties, mais s'accomplit en un seul mouvement sur six temps.

- Placez-vous en position initiale pour la barre au sol.
- Faites un *tendu devant* du pied droit : faites glisser le pied en brossant le mur vers le haut. Conduisez le mouvement avec le talon jusqu'à ce que ce dernier décolle **[1]**.
- Pointez le pied, puis faites-le redescendre pour revenir en première position. Assurez-vous que votre pied reste en contact avec le mur.
- Effectuez de nouveau un *tendu devant* avec le pied, contre le mur **[2]**. Pointez le pied, mais cette fois ramenez le talon en cinquième position (le talon droit devrait être contre l'articulation des orteils du pied gauche, et les genoux l'un au-dessus de l'autre).
- Depuis la cinquième position, effectuez de nouveau un *tendu devant* du pied droit en le faisant monter le long du mur, pointez le pied, puis ramenez-le en première position. Gardez la jambe tendue tout au long de ce mouvement.
- Recommencez avec la jambe gauche.

CONSEIL

Vous devez toujours avoir l'impression de brosser le mur, mais assurez-vous que vos orteils ne décollent pas.

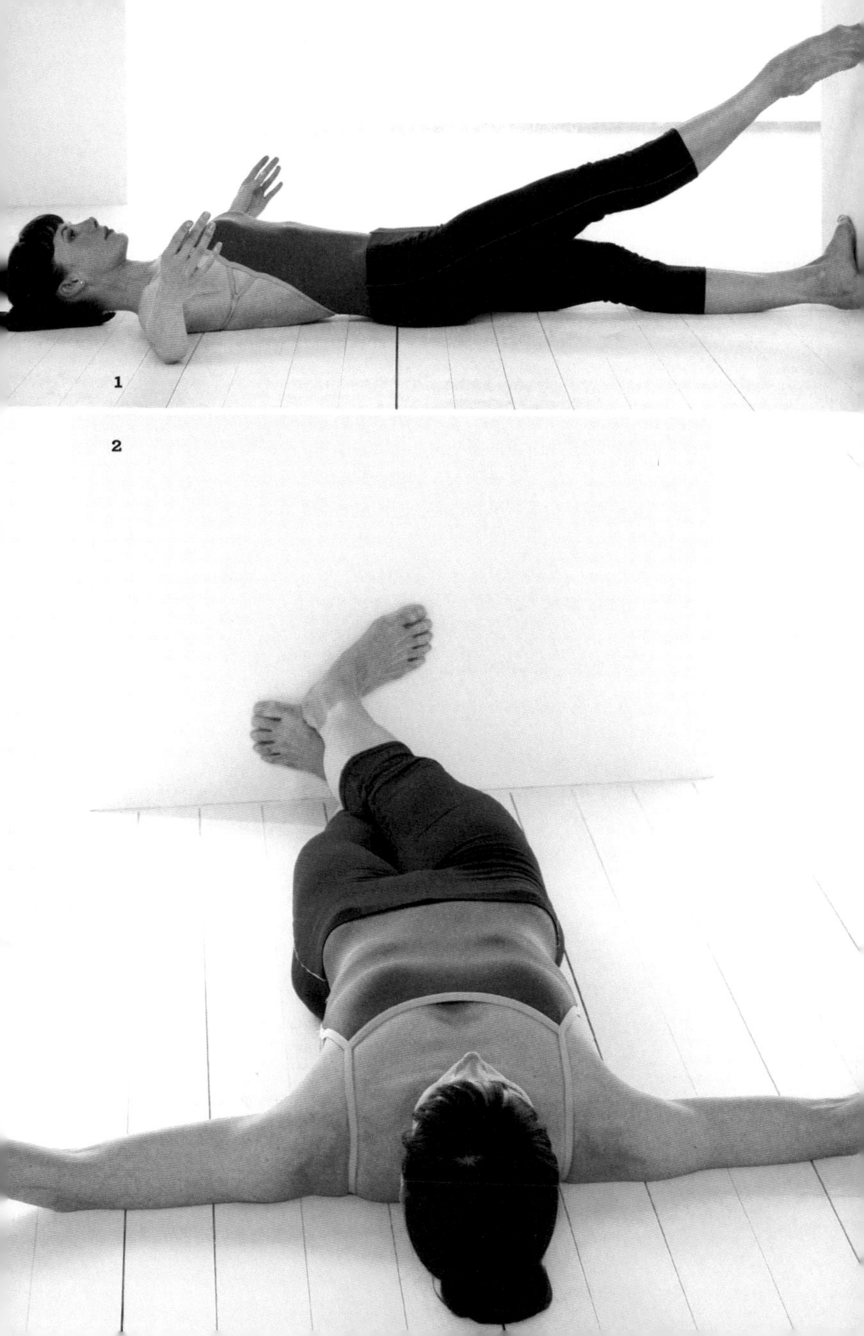
1
2

Tendu en seconde

Gardez les jambes tendues lorsque vous faites des tendus, ne fléchissez pas les genoux – une erreur classique que beaucoup de danseurs font à la barre. Cet exercice est également décomposé en trois parties, mais s'accomplit en un seul mouvement sur six temps.

- Placez-vous en position initiale pour la barre au sol **[1]**.
- Effectuez un tendu en seconde du pied droit : faites glisser le pied sur le côté en brossant le mur, pour venir en seconde position **[2]**. Ne laissez votre talon décoller qu'à la fin, puis pointez le pied.
- Ramenez votre pied en cinquième position à l'aide de l'intérieur des cuisses **[3]**.
- Effectuez de nouveau un *tendu en seconde* du pied droit contre le mur, pour revenir en seconde position. Pointez le pied puis ramenez-le en première position.
- Recommencez avec la jambe gauche.

1
2
3

Glissé

↘ Cible : les ischio-jambiers et les mollets.

Les glissés sont plus rapides que les tendus ; ils renforcent les chevilles et les orteils et permettent de donner de la vitesse aux pieds. C'est vital en danse, tout en particulier dans le travail allegro (mouvements rapides de danse) et pour les sauts.

- Placez-vous en position initiale pour la barre au sol.
- Effectuez un tendu devant du pied droit le long du mur, le talon conduisant le mouvement. Lorsque le pied décolle naturellement du mur, pointez les orteils et soulevez-les d'environ 5 cm **[1]**.
- Ramenez le pied en première position.
- Répétez le mouvement, mais ramenez cette fois le pied en cinquième position **[2]**.
- Recommencez une dernière fois puis revenez en première. Le mouvement entier s'effectue sur trois temps.
- Recommencez avec la jambe gauche.

1
3

Glissé en seconde

- Placez-vous en position initiale pour la barre au sol.
- Effectuez un *tendu en seconde* de la jambe droite pour venir en seconde position, le talon conduisant le mouvement jusqu'à ce qu'il décolle naturellement du mur **[1]**. Pointez les orteils et soulevez-les d'environ 5 cm.
- Ramenez la jambe en première position en vous servant de l'intérieur des cuisses.
- Répétez le mouvement mais cette fois revenez en cinquième position **[2]**.
- Recommencez de nouveau et revenez en première. Le mouvement entier s'effectue sur trois temps.
- Recommencez l'exercice avec la jambe gauche.

CONSEIL

Lors de mouvements plus rapides, gardez toujours les muscles du ventre au travail.

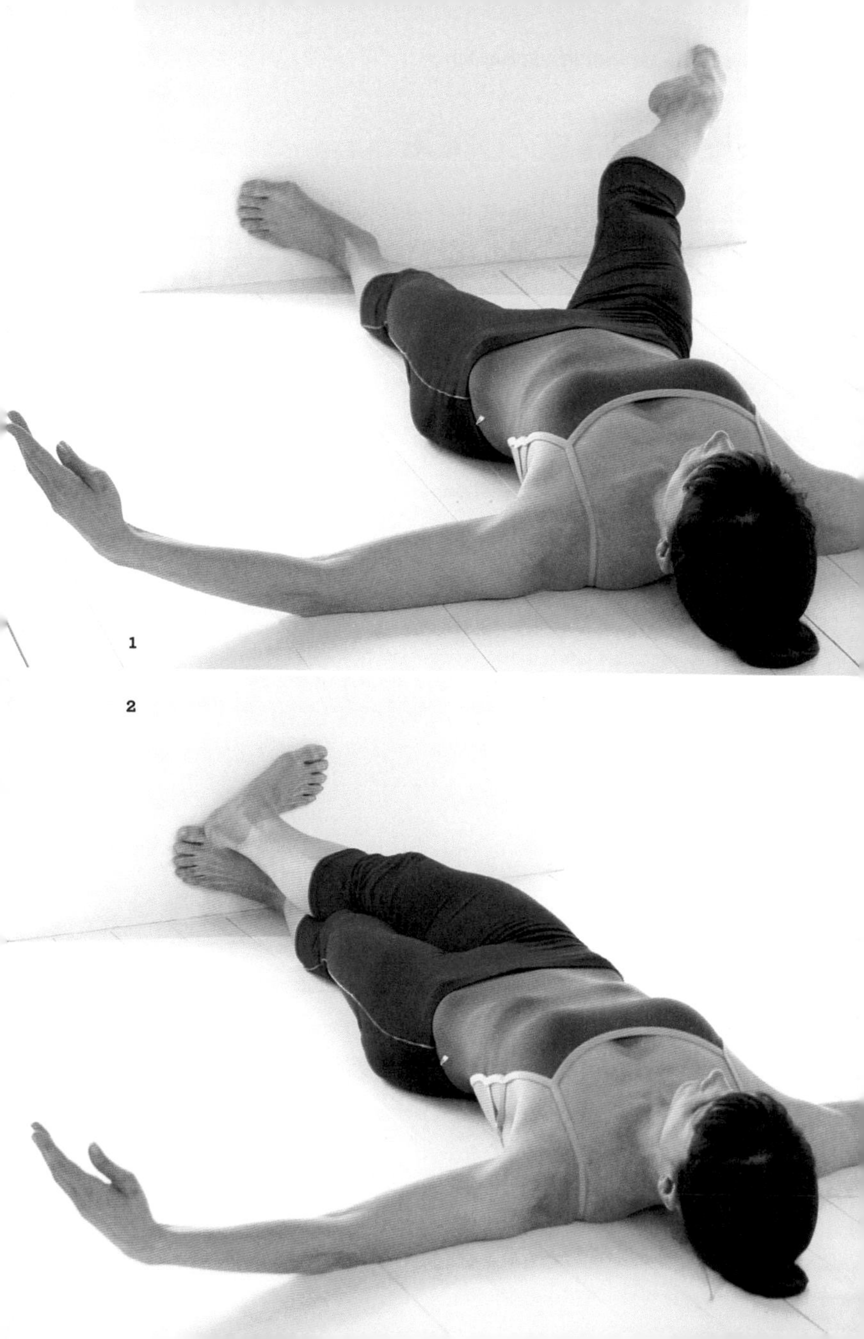
1
2

Relevé

↘ **Cible : les muscles des mollets et les pieds.**

Lors d'un spectacle, les danseurs se déplacent en pointe des centaines de fois. Le travail en pointe est souvent une extension du travail en relevé : lors d'un relevé, vous transférez l'intégralité du poids du corps dans la partie antérieure de la plante des pieds. Si vous deviez continuer à déplacer le poids du corps jusqu'au bout des orteils, vous seriez en pointe. Il s'agit, toutefois, d'une technique très avancée ; ne l'essayez jamais debout si vous n'êtes pas danseur.

- Placez-vous en position initiale pour la barre au sol.
- Tout en gardant les jambes tendues, effectuez un *relevé* (montez sur demi-pointes) en poussant contre le mur avec les pieds.
- Revenez en première position en redescendant les talons, en faisant travailler chacun des pieds. Vous ne pourrez pas revenir contre le mur car votre corps se sera naturellement déplacé lors du relevé.
- Retournez contre le mur et recommencez 5 fois cet exercice.

CONSEIL

Imaginez que l'action de monter commence aux genoux et passe par les mollets jusqu'aux orteils.

Relevé en seconde

↘ Cible : les mollets et l'intérieur des cuisses.

Le relevé, mouvement que les danseurs effectuent dans toutes les positions, est essentiel à la force de jambe des danseurs parce que cela donne la force de supporter le poids du corps, en particulier au cours des sauts. Pour les non-danseurs, il s'agit d'un excellent exercice pour amincir et tonifier les mollets.

- Placez-vous en position initiale pour la barre au sol.
- Faites glisser le pied en seconde position.
- Tout en gardant les jambes tendues, effectuez un *relevé* en seconde position en poussant contre le mur avec les pieds.
- Revenez en seconde position en redescendant les talons, en faisant travailler chacun des pieds.
- Retournez contre le mur et recommencez 5 fois cet exercice.

CONSEIL

Ce mouvement est plus difficile en seconde position. Imaginez donc en permanence que vos hanches restent à la même hauteur et s'ouvrent vers l'extérieur et que le poids du corps reste au centre.

Cou-de-pied

↘ Cible : l'objectif de ce mouvement est de créer de la puissance dans votre pied pointé et votre cheville.

Les cous-de-pieds sont des essentiels pour les danseurs car ils permettent de décoller lors d'un saut.

- Placez-vous en position initiale pour la barre au sol.
- Effectuez un *cou-de-pied* en soulevant la jambe droite du sol, tout en fléchissant légèrement le genou et en le tournant vers l'extérieur. Pointez les orteils et touchez la partie supérieure de la cheville gauche avant de revenir en première position.
- Recommencez 4 fois cet exercice avec chaque jambe.

Fondu devant et fondu en seconde

↘ **Cible : les cuisses et les mollets.**

- Éloignez-vous du mur et placez-vous en position initiale pour la barre au sol.
- Soulevez la jambe droite et placez-la en *cou-de-pied* (fléchissez le genou droit, tournez-le en dehors et amenez le pied pointé sur la partie supérieure de la cheville gauche) **[1]**.
- Effectuez un *grand plié* **[2]**.
- Sur deux temps, tendez les deux jambes, tout en soulevant la jambe droite en l'air à 45° par rapport au sol **[3]**. Le pied gauche doit également être pointé.
- De nouveau sur deux temps, ramenez les jambes en *cou-de-pied.*
- Effectuez un autre *grand plié*, tendez les deux jambes et cette fois, toujours sur deux temps, lancez la jambe droite vers l'extérieur en seconde position à un angle de 45°.
- Ramenez les jambes en première position en deux temps.
- Recommencez l'exercice avec la jambe opposée.

CONSEIL

Tendez toujours la jambe en tirant sur elle vers le haut.

1
2
3
4

Rond de jambe à terre

↘ Cible : les cuisses, les fessiers, les ischio-jambiers et les mollets. Cet exercice fait travailler l'intégralité du bas du corps.

Ce mouvement fait aussi travailler le mouvement de rotation de la hanche dans la cavité articulaire. Lorsque les danseurs effectuent la version debout du rond de jambe, la jambe est amenée complètement en arrière, en un demi-cercle au-dessus du sol. Mais dans la version qui suit, contentez-vous d'amener votre jambe jusqu'à un point qui vous est confortable.

- Retournez contre le mur et placez-vous en position initiale pour la barre au sol **[1]**.
- Effectuez un *tendu devant* du pied droit : faites glisser le pied devant vous, en brossant le mur vers le haut. Pointez les orteils lorsqu'ils décollent du mur à la fin du mouvement **[2]**.
- Puis faites un *rond de jambe* (demi-cercle décrit par le pied) en balayant la jambe vers l'extérieur et en descendant le long du mur **[3a]**, pour venir en deuxième position. Gardez la jambe tendue et le pied pointé **[3b]**.
- À l'aide de l'intérieur des cuisses, ramenez la jambe le long du mur, en première position.
- Recommencez deux fois le mouvement entier. Puis, dans l'autre sens, effectuez un *tendu en seconde* du pied droit : faites glisser le pied sur le côté en brossant le mur pour venir en deuxième position.
- Tout en gardant la jambe tournée en dehors, dessinez un arc de cercle avec le pied en le faisant remonter le long du mur, les orteils pointés, pour ramener ensuite la jambe vers le bas en première position. Répétez encore deux fois le mouvement dans ce sens.
- Dans chaque sens, le mouvement doit tenir sur trois temps : un temps pour brosser la jambe vers le haut, un pour dessiner un arc de cercle et un pour revenir en première position. Recommencez l'exercice avec la jambe opposée.

CONSEIL

Comme il s'agit d'un mouvement de renforcement, il est important de conserver la jambe d'appui ancrée au sol.

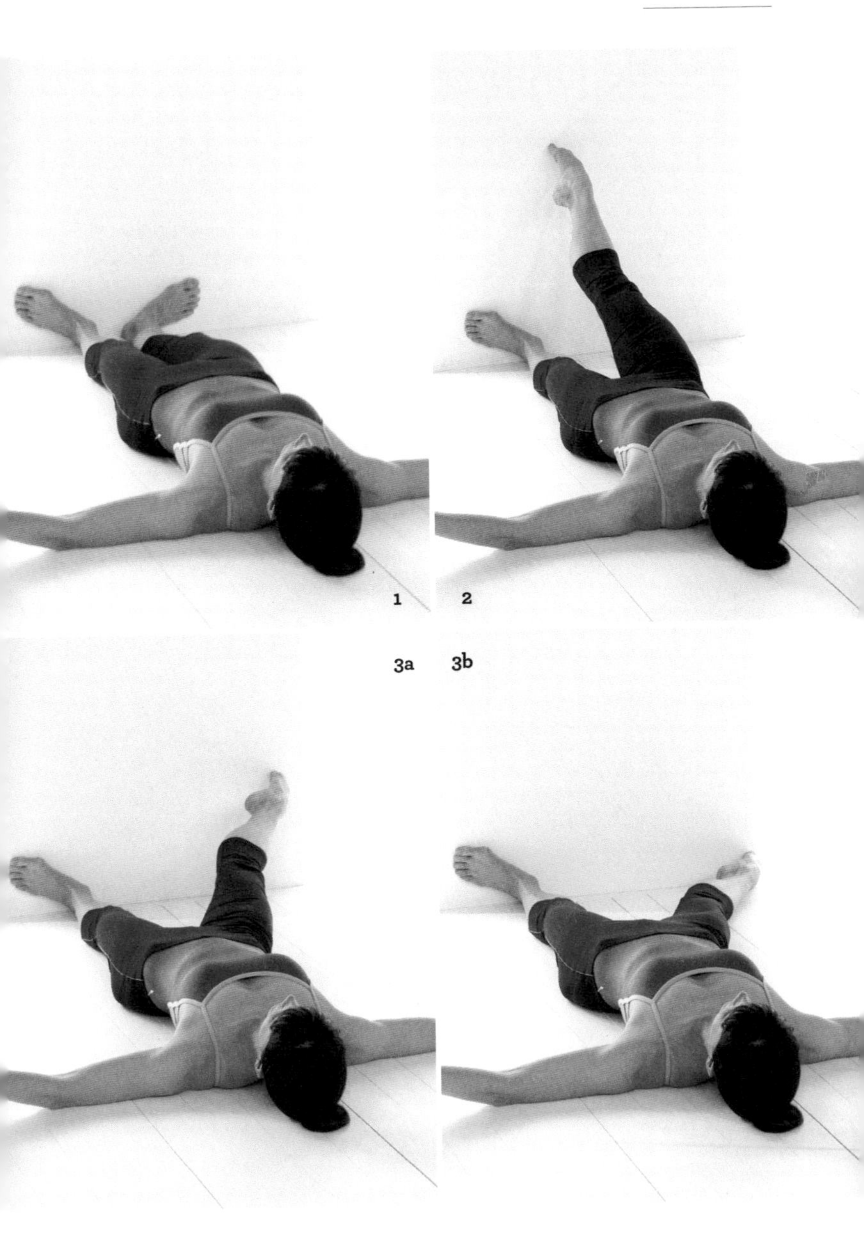
1
2
3a
3b

Rond de jambe en l'air

↘ Cible : les abdominaux et tous les muscles de la jambe.

Ce mouvement est excellent pour la stabilité et la force du centre, indispensables à tout danseur, mais il peut se montrer assez difficile au début. Pour vous aider à soutenir votre corps, rentrez sans cesse le nombril vers la colonne pour vous assurer que la jambe d'appui ne bouge pas. Dans la version pour danseurs de cet exercice, nous effectuons en réalité un cercle en l'air en deuxième position et notre jambe décolle du sol, raison pour laquelle on appelle ce mouvement un rond de jambe en l'air.

- Placez-vous en position initiale pour la barre au sol **[1]**.
- Faites glisser le pied droit pointé en le brossant contre le mur vers le haut et l'extérieur pour venir en deuxième position, en laissant le pied décoller du mur d'environ 5 cm **[2]**.
- Effectuez un *rond de jambe* en décrivant un demi-cercle en l'air avec la jambe : fléchissez la jambe et amenez votre pied pointé au centre de votre mollet gauche **[3]**, puis faites tourner la jambe vers l'extérieur pour revenir en deuxième, en dessinant un ovale.
- Ramenez la jambe en première position à l'aide de l'intérieur des cuisses.
- Le mouvement se fait en trois temps : un temps pour brosser la jambe vers le haut et la soulever, un pour dessiner un demi-cercle et un pour ramener la jambe en première. Répétez le mouvement une fois avec chacune des jambes.

CONSEIL

Un excellent exercice de ballet pour les débutants, mais qui requiert quelques connaissances de Pilates. Assurez-vous d'avoir accompli le petit programme Pilates avant de vous lancer et ne faites pas cet exercice si vous constatez que vous vacillez.

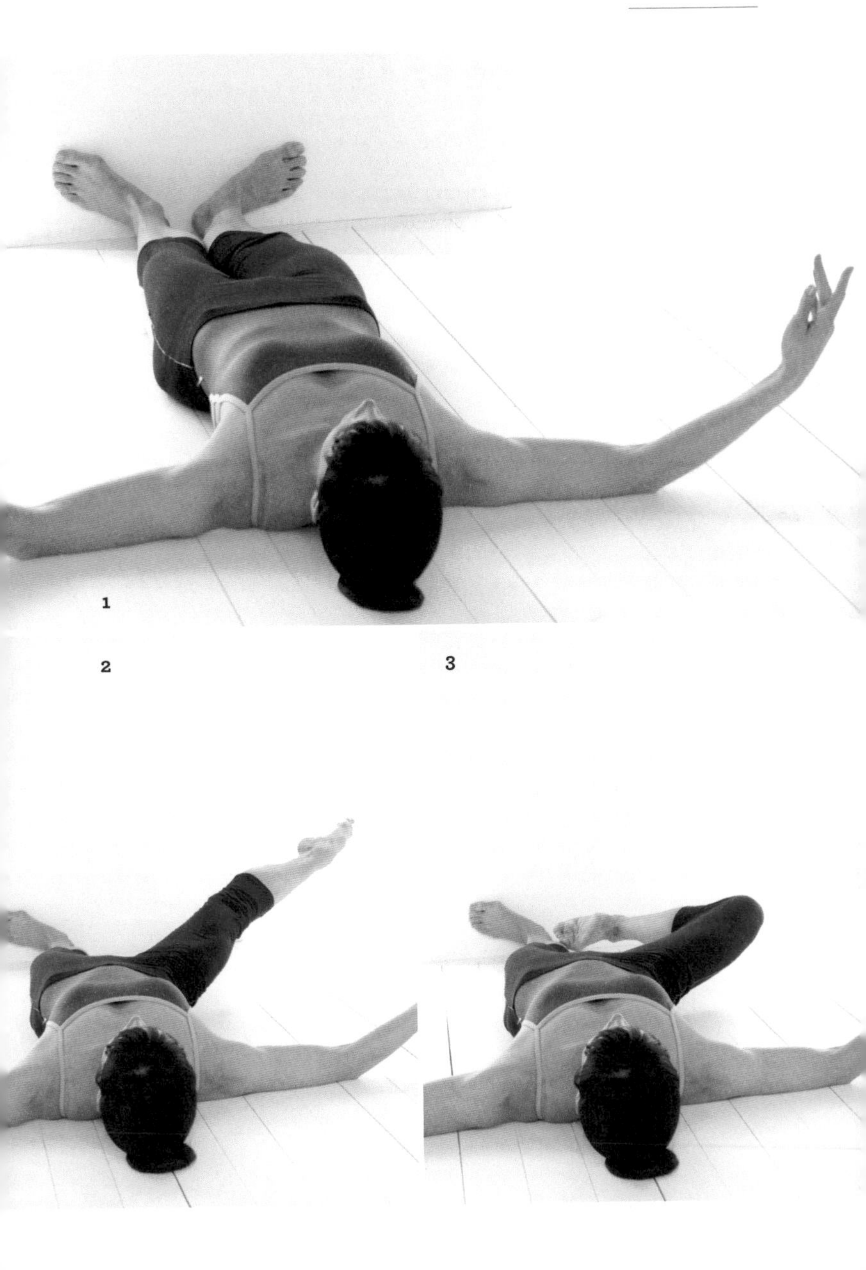
1
2
3

Frappé devant

↘ Cible : les muscles autour des genoux et des mollets.

L'objet du frappé est de construire de la force et d'aiguiser les réflexes du pied et du bas des jambes, pour que ce mouvement devienne complètement naturel et pouvoir déplacer les pieds rapidement et correctement sans avoir à réfléchir.

- Placez-vous en position initiale pour la barre au sol.
- Faites reposer le talon droit sur l'articulation de la cheville de la jambe d'appui **[1]**. Le genou droit pointe vers l'extérieur ; le pied est tourné en dehors et fléchi.
- En gardant le pied fléchi et le haut de la jambe stable, effectuez un *frappé devant* : brossez la partie antérieure de la plante du pied devant vous, contre le mur vers le haut, jusqu'à ce que votre jambe soit tendue, orteils pointés **[2]**. Imaginez que vous craquez une allumette avec l'avant de la plante du pied.
- Redescendez le pied jusqu'à ce qu'il repose de nouveau sur l'articulation de la cheville de la jambe d'appui. Le pied est fléchi et tourné en dehors.
- Le mouvement entier prend quatre temps : deux pour élever la jambe et deux pour l'abaisser. Recommencez cet exercice 4 fois.

CONSEIL

Le genou de la jambe au travail doit rester immobile durant le frappé. Le genou ne doit ni s'élever ni tomber sur le côté lors du retour.

1 **2**

Frappé en seconde

Placez-vous en position initiale pour la barre au sol.

- Faites reposer le talon droit sur l'articulation de la cheville de la jambe d'appui. Votre genou pointe vers l'extérieur, le pied est tourné en dehors et fléchi.
- En gardant le pied fléchi et le haut de la jambe stable, effectuez un *frappé en seconde*: dans un mouvement de frappe, brossez la partie antérieure de la plante du pied sur le côté contre le mur pour venir en seconde position, jusqu'à ce que votre jambe soit tendue, orteils pointés.
- À l'aide de l'intérieur de la cuisse, ramenez le pied jusqu'à ce qu'il repose sur l'articulation de la cheville gauche. Le pied est fléchi et tourné en dehors.
- Le mouvement entier prend quatre temps: deux pour frapper vers l'extérieur et deux pour ramener la jambe. Recommencez cet exercice 4 fois.

Adagio

↘ Cible : les ischio-jambiers. Renforce le centre.

Ne vous inquiétez pas si vous ne parvenez pas d'emblée à faire un adagio, car il s'agit d'un exercice avancé. S'il s'avère trop difficile de lever la jambe à 90°, visez 45° pour commencer. Après quelques semaines de barre au sol, vous devriez pouvoir accomplir facilement le mouvement entier.

- Restez contre le mur et placez-vous en position initiale pour la barre au sol **[1]**.
- Pointez le pied droit et tirez-le le long de votre jambe gauche jusqu'à ce qu'il repose sur le genou **[2]**. Le genou droit pointe vers l'extérieur.
- En conduisant le mouvement avec le talon et tout en gardant la jambe tournée en dehors, tendez lentement la jambe droite devant vous, de sorte qu'elle soit levée à un angle de 45 à 90° par rapport à la jambe d'appui **[3a-b]**. Les orteils pointent en direction du plafond. Ce mouvement prend deux temps.
- Tenez cette position pendant deux temps. Puis, redescendez la jambe en première sans la plier, dans un mouvement lent et contrôlé prenant à nouveau deux temps.
- Changez de jambe.

CONSEIL

Imaginez que vous dessinez le chiffre quatre lorsque vous prenez cette position. Prenez soin à ce que votre coccyx ne décolle pas lorsque vous soulevez la jambe et ne continuez pas l'exercice si la jambe d'appui tremble ou se déplace.

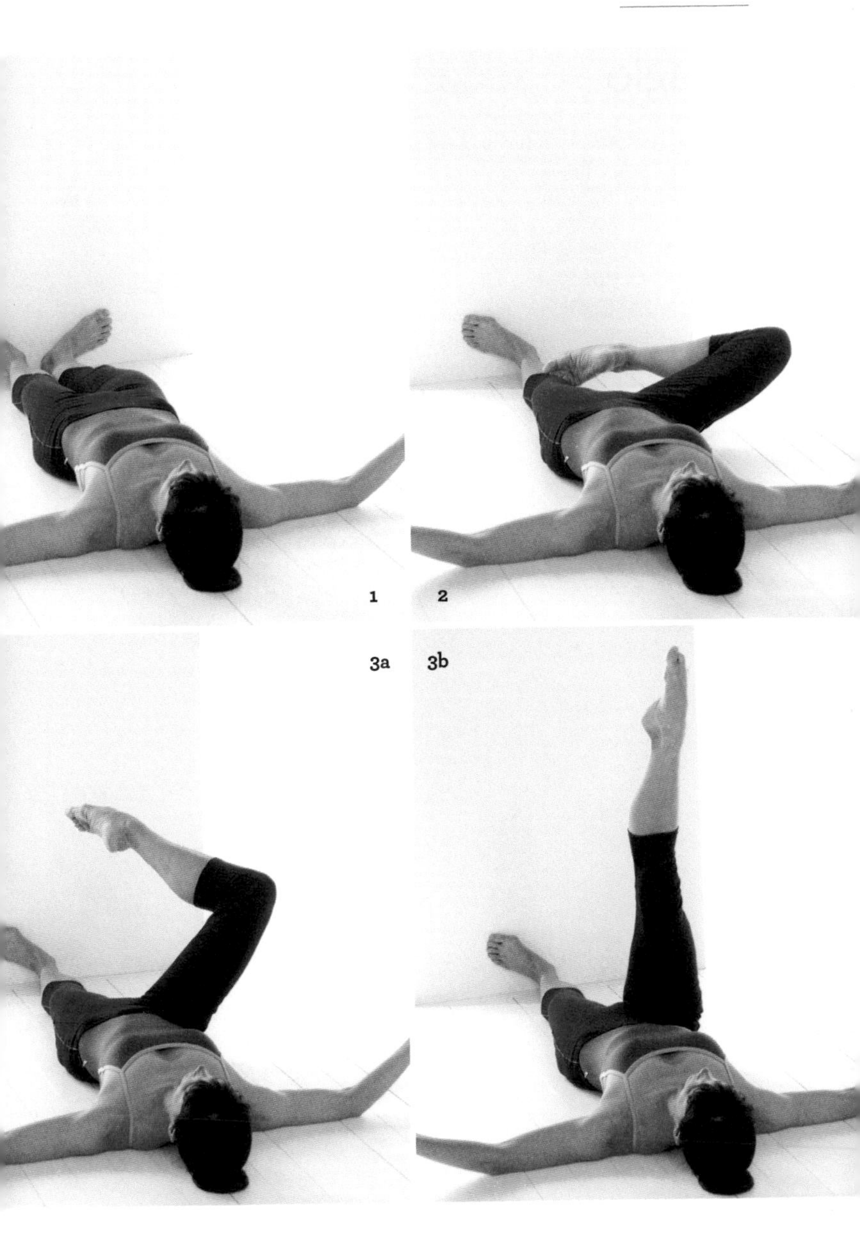
1
2
3a
3b

Adagio en seconde

↘ Cible : les ischio-jambiers et les fessiers.

- Placez-vous en position initiale pour la barre au sol.
- Pointez le pied droit et tirez-le le long de votre jambe gauche jusqu'à ce qu'il repose sur le genou. Le genou droit pointe vers l'extérieur.
- En conduisant le mouvement avec le talon et tout en gardant la jambe tournée en dehors et les orteils pointés, tendez lentement la jambe droite vers le haut et de côté en seconde position, de sorte qu'elle fasse un angle de 45 à 90° par rapport à la jambe d'appui. Les orteils pointent vers l'extérieur. Ce mouvement dans son intégralité doit être accompli très doucement : visez quatre temps pour soulever la jambe.
- Tenez cette position pendant deux temps. Puis, redescendez la jambe en première position, en la gardant tendue, dans un mouvement lent et contrôlé prenant deux temps.
- Changez de jambe.

CONSEIL

Il s'agit d'un exercice très difficile. Travaillez en vous focalisant sur le fait de garder la hanche d'appui au sol.

Grand battement

↘ Cible : les ischio-jambiers, les cuisses et les abdominaux.

Les grands lancés de jambe nécessitent de la force et du contrôle ; il est donc important de travailler ces mouvements dans le temps. La hauteur à laquelle vous pourrez amener votre jambe dépendra de la souplesse de vos ischio-jambiers. Bien entendu, les danseurs expérimentés peuvent soulever leur jambe droit en l'air, mais ce n'est pas cela qu'il faut viser. Un angle de 45° serait un bon début.

- Placez-vous en position initiale pour la barre au sol.
- Comme vous lanceriez un coup de pied, faites glisser le pied pointé en brossant le mur devant vous vers le haut, puis en l'air, jusqu'à un angle de 45 à 90° par rapport à la jambe d'appui. Ce mouvement s'effectue sur un temps.
- Ramenez immédiatement le pied en première position, en vous conduisant du talon le long du mur.
- Effectuez deux lancés avec chaque jambe.

➔ Exercice avancé

Recommencez le mouvement, mais lancez vers le haut et de côté votre pied droit pointé, en seconde position, de sorte que votre jambe fasse un angle de 45 à 90° avec la jambe d'appui. Effectuez de nouveau deux lancés de chaque jambe.

CONSEIL

Gardez les deux jambes tendues, le nombril contre la colonne et ne laissez pas votre dos se soulever lorsque vous lancez la jambe en l'air.

Demi-port de bras

↘ **Cible : les grands dorsaux. Ouvre la cage thoracique.**

Lors des exercices pour les bras, le haut du corps doit toujours sembler détendu. La danse paraît fluide et sans effort, parce que toute la force vient des jambes, et on nous apprend donc à ne maintenir aucune tension dans le haut du corps.

- Allongez-vous sur le dos, pieds en première et bras en position préparatoire (en forme d'ovale allongé, les paumes des mains reposant sur les hanches juste en dessous du bassin et orientées face à vous) **[1]**.
- À partir de cette position, soulevez les bras devant vous en première position, de sorte que la paume des mains se trouve face à votre nombril **[2]**. Gardez les coudes légèrement fléchis (imaginez que vous tenez un gros ballon de plage).
- En vous conduisant avec les doigts, ouvrez les bras en seconde position **[3]** (bras ouverts de chaque côté du corps, juste en dessous de la hauteur des épaules).
- Ramenez les bras en position préparatoire. Recommencez 4 fois cet exercice en un mouvement fluide et continu.

CONSEIL

Les épaules ne doivent pas du tout se soulever lors des ports de bras : le mouvement vient des bras qui se déplacent dans leur articulation.

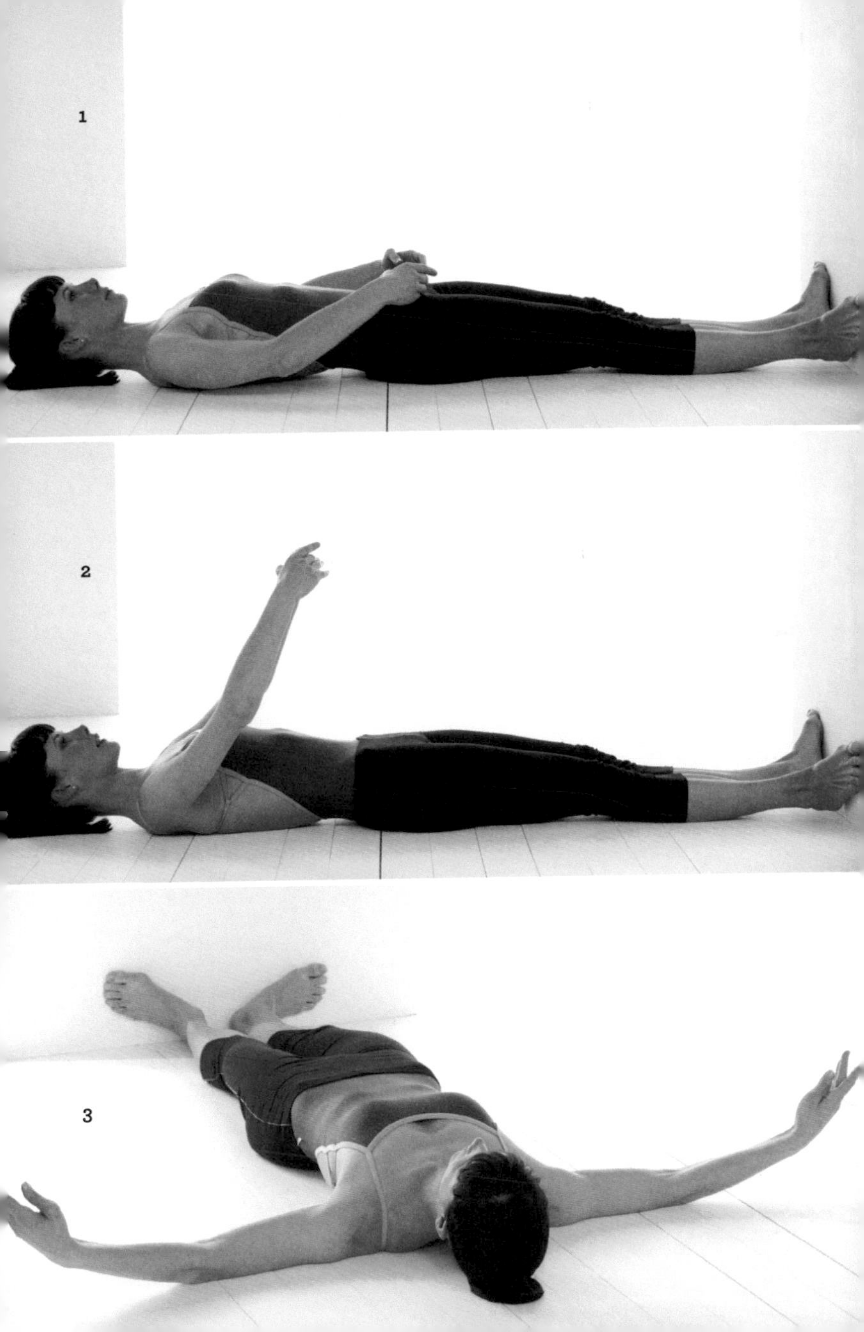
1
2
3

Port de bras complet

↘ **Cible : les grands dorsaux, la poitrine et les triceps.**

- Allongez-vous sur le dos, pieds en première et bras en position préparatoire. Soulevez les bras en première position **[1]**.
- À partir de cette position et en vous conduisant avec les doigts, faites monter les bras en cinquième position au-dessus de la tête **[2]** (mais de manière à ce que, sans bouger la tête, vous puissiez toujours voir la paume de vos mains).
- Ouvrez les bras vers l'extérieur en seconde position et, tout en conservant la courbe des bras, ramenez-les en position préparatoire **[3]**.
- Recommencez 4 fois cet exercice en un mouvement fluide et continu.

1
2
3

Port de bras complet en sens inverse

↘ **Cible : les grands dorsaux, la poitrine et les triceps.**

- Allongez-vous sur le dos, pieds en première et bras en position préparatoire. Soulevez les bras en première position **[1]**.
- À partir de cette position, conduisez-vous du bout des doigts en seconde position **[2]**.
- Amenez ensuite les bras en cinquième position **[5]** puis faites-les redescendre en position préparatoire.
- Recommencez 4 fois cet exercice en un mouvement fluide et continu.

CONSEIL

Si votre cou vous fait mal ou vos épaules se soulèvent, essayez de placer sous votre nuque une serviette roulée pour plus de support.

1
2
3

La barre debout
Programme avancé

J'ai mis au point une version moins compliquée que pour un danseur professionnel. Lorsque vous vous sentirez prêt à passer au programme de barre debout, je vous suggère de commencer par la barre au sol comme échauffement, puis passez à la barre debout comme programme principal, et finir par les étirements.
Vous aurez besoin de l'un des objets suivants auquel vous tenir, qui vous servira de barre : un tabouret solide avec dossier haut ; un plan de travail de cuisine ; un canapé avec dossier haut ; une chaise de salle à manger solide avec dossier haut ; quelque chose solide ou fixé, à hauteur de taille.

Les cinq positions de la barre debout

Lorsque vous placez les jambes en position de danse, vous ne devez jamais sentir de tiraillements dans les genoux, mais uniquement dans le haut des jambes et les fessiers. Si vous commencez à ressentir une tension quelconque dans les genoux, relâchez immédiatement la position et reprenez à un angle dans lequel vous êtes plus à l'aise.

Position préparatoire

↘ Jambes

Tenez-vous debout, les jambes tournées en dehors, talons joints, hanches de face et orteils pointés vers l'extérieur.

↘ Bras

En gardant les épaules tirées vers le bas et le haut du corps détendu, les bras sont légèrement incurvés en forme d'ovale allongé, la paume des mains proche des hanches.

Première position

↘ Jambes

La première position des jambes est identique à la position préparatoire : tenez-vous debout en vous grandissant, rentrez le nombril contre la colonne vertébrale et tournez les jambes en dehors de sorte que vos talons se touchent. Les hanches sont de face et les orteils pointent vers l'extérieur.

↘ Bras

En gardant les épaules tirées vers le bas et le haut du corps détendu et en démarrant en position préparatoire, les bras sont soulevés à hauteur de nombril et tenus en forme d'ovale, coudes légèrement fléchis.

Deuxième position

↘ Jambes

En démarrant en première position, faites glisser le pied droit pointé sur le côté, e sorte que les talons soient écartés de la largeur des hanches. Abaissez votre talon pour que les jambes soient alignées. Votre poids est également réparti entre les deux jambes ; les jambes sont tournées en dehors et tendues.

↘ Bras

En démarrant en première position, allongez les doigts et ouvrez les bras de chaque côté du corps juste en dessous de la hauteur des épaules. Il doit y avoir une légère courbe dans vos bras.

Position préparatoire

Deuxième position

➔ Troisième position

↘ Jambes

En démarrant en deuxième position, amenez le pied droit devant le pied gauche, de sorte que le talon droit touche le milieu du pied gauche juste en dessous de l'articulation des orteils. Les genoux sont tendus, les orteils pointés vers l'extérieur et le ventre rentré pour aider à maintenir l'équilibre.

↘ Bras

En démarrant en deuxième position, amenez le bras gauche vers l'avant, de sorte que votre main soit face au nombril. Gardez le bras en arc et l'extrémité des doigts à la hauteur du sternum. Le bras droit est sur le côté, la paume de la main orientée vers l'avant.

➔ Quatrième position

↘ Jambes

En démarrant en troisième position, glissez le pied droit vers l'avant en l'éloignant du pied gauche, afin de le placer devant le corps (moins d'un pas en avant). Gardez les jambes tendues et tournées en dehors ; soutenez votre corps depuis votre ventre.

↘ Bras

En démarrant en troisième position, soulevez le bras gauche au-dessus de la tête, mais de sorte qu'il ne soit pas directement au-dessus (vous devez pouvoir voir vos doigts en levant seulement les yeux). Prenez soin de ne pas soulever l'épaule, mais uniquement le bras.

Troisième position

Quatrième position

➔ Cinquième position

↘ Jambes

En démarrant en quatrième position, amenez le pied droit devant le pied gauche, de sorte que le talon droit soit devant l'orteil gauche, qu'il touche. Les genoux sont l'un dessus l'autre et les hanches ne doivent pas être tordues. Tirez sur les genoux, les cuisses et les fesses pour vous grandir.

↘ Bras

En démarrant en quatrième position, soulevez le bras droit pour lui faire rejoindre le bras gauche au-dessus de votre tête. Gardez les bras arrondis et les mains distantes d'environ 15 cm, paumes orientées vers l'intérieur. Assurez-vous, de nouveau, que vos épaules ne sont pas soulevées.

RÈGLES DE BASE

- Lorsque vous êtes debout à la barre ou au centre de la pièce, rentrez toujours le nombril vers la colonne vertébrale, gardez les jambes tendues et imaginez qu'une ficelle tire le centre de votre tête jusqu'au plafond.
- Vos bras doivent reposer sur la barre (et non s'y agripper) et doivent être devant vous (et non sur vos côtés) : vous devez pouvoir voir votre main si vous jetez un coup d'œil vers le bas.
- Commencez toujours par faire travailler le côté droit en tenant la barre de la main gauche. Puis tournez-vous en faisant face à la barre et tenez-vous avec la main droite pour faire travailler le côté gauche.
- Chaque exercice démarre et s'achève en position préparatoire.

Demi-pliés

- Tenez-vous debout en vous grandissant, la main gauche posée sur la barre sur le côté. Placez les pieds en première position, jambes tournées en dehors à partir des hanches, et le bras droit en position préparatoire. Engagez les muscles du ventre. Vous voici en position pour démarrer tout le travail de barre debout **[1]**.
- Gardez le bassin stable et, sans décoller les talons du sol, faites un *demi-plié* **[2]**. En même temps, laissez le bras droit se déplacer en seconde, puis en position préparatoire lorsque vous revenez droit. Lorsque vous refermez les jambes l'une contre l'autre, tirez l'intérieur des cuisses vers le haut (ne vous contentez pas de tendre les genoux). Chaque mouvement prend deux temps : deux pour plier les genoux et deux pour les tendre. Effectuez deux *demi-plié*.
- Effectuez maintenant un *tendu en seconde*, en amenant le pied droit de côté en seconde position **[3]**. Lles orteils conduisent la jambe (conservez votre poids sur la jambe d'appui, puis transférez-en sur la jambe de travail pour le répartir également entre les deux jambes). Abaissez le pied, les orteils puis le talon.
- Effectuez un *demi-plié* en seconde et, comme vous faites cela, laissez le bras droit se déplacer en seconde **[4]**, puis en position préparatoire lorsque vous revenez droit. Chaque mouvement prend deux temps : deux pour plier les genoux, deux pour tendre les jambes. Effectuez deux *demi-pliés* en seconde. Ramenez les pieds en première position : pointez les orteils du pied droit et brossez le sol avec le pied jusqu'au pied gauche, en gardant la jambe tendue jusqu'à ce que les talons se rencontrent.
- Changez de côté en vous tournant vers la barre et recommencez la séquence du côté gauche.

CONSEIL

En première position, ne tournez les jambes en dehors que dans la mesure confortablement possible.

1
2
3
4

Tendu en croisé

- Placez-vous en position initiale pour la barre debout. Effectuez un *port de bras* pour amener le bras droit en seconde position **[1]** : commencez par placer le bras en première position puis ouvrez-le en seconde.
- Effectuez un *tendu devant* **[2]** : en vous guidant avec le talon, faites glisser le pied droit devant vous en brossant le sol. Lorsque le talon commence à décoller du sol, pointez les orteils, mais ne les laissez pas perdre contact avec le sol. Ramenez le pied en première position, en brossant le sol, jusqu'à ce que vos talons se rencontrent.
- Effectuez maintenant un *tendu en seconde* **[3]** : faites glisser le pied droit sur le côté en brossant le sol pour venir en seconde position, pointez le pied, puis refermez en première.
- Faites un *tendu derrière* **[4]** (mouvement dans lequel le pied brosse le sol derrière vous), pointez les orteils, puis refermez en première.
- Effectuez enfin un *demi-plié* **[5]**, en même temps que vous laissez le bras redescendre en position préparatoire lorsque vous revenez droit.
- Tournez-vous et recommencez du côté gauche.

CONSEIL

Gardez toujours les jambes tendues et assurez-vous, lors du tendu, que les genoux ne sont pas fléchis.

1
2
3
4
5

Glissé

- Placez-vous en position initiale pour la barre debout. Effectuez un *port de bras* pour amener le bras droit en seconde position.
- À partir de cette position, effectuez un *glissé devant* **[1]** : faites glisser le pied sur le sol devant vous, jusqu'à ce que vos orteils décollent naturellement du sol d'environ 5 cm, en position pointée. Ramenez les orteils pointés sur le sol et faites un *tendu* pour revenir en première.
- Effectuez maintenant un *glissé en seconde* **[2]** : faites glisser le pied de côté en seconde position, jusqu'à ce que vos orteils pointés décollent du sol (mais sans transférer le poids du corps sur la jambe au travail), puis faites un *tendu* pour revenir en première.
- Effectuez ensuite un *glissé derrière* **[3]** : faites glisser le pied derrière vous jusqu'à ce que vos orteils pointés décollent du sol. Ramenez le pied au sol et refermez en première.
- Enfin, faites un *relevé* **[4]** (montez en demi-pointes) en tirant sur les genoux et les cuisses (vos talons se sépareront naturellement l'un de l'autre), puis redescendez en première position en ramenant les bras en position préparatoire.
- Tournez-vous et recommencez du côté gauche.

1
2
3
4

Fondus et rond de jambe à terre

- Placez-vous en position initiale pour la barre debout. Effectuez un *port de bras* pour amener le bras droit en seconde position **[1]**.
- Amenez le pied droit en *cou-de-pied* en touchant avec les orteils pointés la partie supérieure de la cheville gauche **[1]**. Assurez-vous que le talon est en avant.
- En deux temps, effectuez un *grand plié* **[3]** et, lorsque vous tendez la jambe gauche, faites un *tendu devant* de la jambe droite **[3b]** : tendez-la devant vous en pointant les orteils.
- Ramenez le pied en *cou-de-pied* **[4]**.

CONSEIL

Ne laissez pas la hanche droite s'ouvrir ; vos hanches doivent rester de face. Tirez l'intérieur des cuisses vers le haut.

1
2
3
3b
4

- De nouveau, en deux temps, effectuez un *grand plié* **[5a]** et, lorsque vous tendez la jambe gauche, faites un *tendu en seconde* **[5b]** : tendez la jambe droite en seconde position en pointant les orteils.
- À partir de la seconde position et en gardant le pied pointé au sol et la jambe tendue, effectuez un *rond de jambe* (demi-cercle décrit par le pied) en un mouvement fluide. Faites glisser les orteils derrière vous en brossant le sol **[6a]**. En passant par la première position **[6b]**, ramenez-les à l'avant **[6c]**, puis sur le côté en seconde **[6d]**. Continuez vers l'arrière **[6e]** et, enfin, revenez en première **[6f]**, tout en ramenant les bras en position préparatoire. Ce mouvement entier s'effectue sur quatre temps.
- Tournez-vous et recommencez de l'autre côté.

6a
6b
6c
6d
6e
6f

Dégagé et rond de jambe en l'air

- Placez-vous en position initiale pour la barre debout. Effectuez un *port de bras* pour amener le bras droit en seconde position.
- Effectuez un *dégagé devant* avec le pied droit **[1]** : soulevez la jambe devant vous et montez-la à 45° par rapport à la jambe d'appui (au niveau à peu près de l'autre genou). Redescendez la jambe au sol en première position. Utilisez deux temps pour élever la jambe et deux temps pour la redescendre.
- Effectuez un *dégagé en seconde* **[2]** pour amener la jambe en seconde position, en la soulevant sur le côté à 45° (gardez le talon et la jambe légèrement à l'avant de votre corps lorsque vous les soulevez et maintenez le poids du corps sur la jambe d'appui). Utilisez deux temps pour élever la jambe et deux temps pour la redescendre, puis élevez-la de nouveau.
- À partir de cette position en l'air et tout en gardant le haut de la jambe stable, amenez le pied droit pointé sur le mollet de la jambe gauche **[3]**.
- Depuis cette position, faites un *rond de jambe* de la jambe droite en décrivant un arc de cercle dans l'air **[4a]**, en déplaçant le pied vers l'avant, vers le côté puis de retour sur le mollet **[4b]**.
- Ramenez la jambe sur le côté en position soulevée à 45° **[5]**.
- Recommencez le *rond de jambe* encore deux fois (étapes 4-5), puis redescendez la jambe en deuxième position. Ramenez le pied en première en brossant le sol, tout en redescendant le bras en position préparatoire.
- Tournez-vous et recommencez du côté gauche.

1
2
3
4a
4b
5

Retiré et grands battements

- Placez-vous en position initiale pour la barre debout. Effectuez un *port de bras* pour amener le bras droit en seconde position.
- Soulevez la jambe droite en *retiré* (équilibre sur une seule jambe) : fléchissez le genou droit en gardant la jambe tournée en dehors, puis remontez les orteils pointés le long de la jambe gauche pour qu'ils touchent le genou gauche **[1]** (imaginez dessiner le chiffre quatre avec les jambes).
- À partir de cette position, redescendez le pied droit en le brossant contre votre jambe gauche pour revenir en première position.
- Puis faites un *tendu devant* avec le pied droit **[2]**, en gardant le talon vers l'avant, et faites un *battement devant* (lancé de jambe à 90° devant vous), en vous assurant de garder les hanches stables et le dos droit. Ramenez la jambe en première position.
- Effectuez un retiré supplémentaire, puis un *battement devant*. Ramenez la jambe en première.
- Recommencez l'exercice en effectuant cette fois un *retiré* suivi d'un *battement en seconde* **[3]** (lancé de la jambe haut sur le côté).
- Tournez-vous et recommencez du côté gauche.

CONSEIL

Lors des battements en seconde, assurez-vous que votre jambe soit juste devant votre corps et maintenez le poids du corps au centre lorsque vous soulevez la jambe.

Demi-port de bras

- Écartez-vous de la barre et venez au centre de la pièce. Tenez-vous droit, les pieds en première et les bras en position préparatoire **[1]**.
- À partir de cette position, soulevez les deux bras en première position, de sorte que la paume des mains soit à hauteur du nombril et face à vous **[2]**.
- En conduisant le mouvement avec les doigts, ouvrez les bras en seconde position (sur le côté) **[3]**, puis redescendez-les en position préparatoire.
- Recommencez deux fois l'exercice en un mouvement continu et fluide.

1 2

3

Port de bras complet

- Restez au centre de la pièce, jambes en première position et bras en position préparatoire.
- En conduisant le mouvement avec les doigts, élevez les deux bras en cinquième position au-dessus de votre tête **[1]**. Vous devriez toujours pouvoir voir vos doigts si vous jetez un coup d'œil vers le haut.
- Faites maintenant un demi-cercle vers l'extérieur pour venir en seconde position **[2a et 2b]**. La paume des mains est orientée vers le bas et vos bras sont légèrement arrondis).
- Revenez en position préparatoire **[3]**.
- Répétez 2 fois cet exercice en un mouvement continu et fluide.

CONSEIL

Les bras ne sont jamais tendus ; les coudes sont toujours légèrement fléchis.
Les bras sont toujours tenus légèrement en avant du corps, que ce soit au-dessus de vous ou sur les côtés.

1
2a
2b
3

Bras en arabesque

Une excellente façon de s'échauffer les épaules et d'acquérir de la souplesse dans le haut du dos.

- Restez au centre de la pièce, jambes en première position et bras en position préparatoire.
- Placez les bras en première position **[1a]**. Puis élevez le bras droit au-dessus de la tête **[1b]**.
- Faites tourner le bras droit derrière vous, en orientant la paume vers le sol lorsque le bras arrive en arrière **[2]**.
- Ramenez le bras droit en première position, tout en levant le bras gauche au-dessus de la tête **[3]**.
- Faites tourner le bras gauche derrière vous, en orientant la paume vers le sol lorsque le bras atteint l'arrière **[4]**. Lorsque vous le faites tourner pour revenir en première position, montez le bras droit au-dessus de la tête. Continuez cette séquence en un mouvement continu et fluide.
- Répétez 6 fois cet exercice.

CONSEIL

Imaginez que vous faites un moulin à vent avec chaque bras.

1a
1b
2
3
4

Arabesque des bras en sens inverse

Ce mouvement donne de l'ampleur ; il étire le haut du corps et est excellent pour les épaules et le dos.

- Restez au centre de la pièce, jambes en première position et bras en position préparatoire **[1]**.
- Levez les bras en première position, puis amenez le bras droit en cinquième position **[2]**.
- Faites tourner le bras derrière vous, tout en faisant monter le bras gauche de sorte que les doigts soient à la hauteur des yeux **[3]**. Les paumes des deux mains sont orientées vers le bas.
- Levez le bras gauche en cinquième position, tout en ramenant le bras droit en position préparatoire **[4]**.
- Faites tourner le bras gauche derrière vous **[5a]** et montez le bras droit à la hauteur des yeux **[5b]**. Le bras gauche devrait maintenant être juste derrière vous et le bras droit juste devant.
- Répétez 6 fois ce mouvement de manière continue, fluide, en imaginant que vous faites un moulin avec les bras.
- Renversez maintenant l'action entière en déplaçant les bras vers l'avant au lieu de vers l'arrière (cela ressemble beaucoup au mouvement de nage crawlé). Répétez six fois ce mouvement.

1
2
3
4
5a
5b

Les étirements

Il est important de commencer par des mouvements lents et légers : cela permet de se mettre plus facilement en position étirée. Ne forcez jamais et ne vous étirez jamais trop. Votre objectif est de sentir une légère résistance ou tension dans le muscle, et non une douleur vive. Pour aller plus loin dans le mouvement, n'oubliez pas de respirer. Sinon, l'oxygène n'arrive pas jusqu'au muscle et vous ne pouvez pas tenir en position. Respirez doucement et profondément, inspirez par le nez et soufflez par la bouche. Étirez tous les groupes de muscles et pas uniquement les endroits douloureux.

Ne faites pas de concours à qui s'étire le plus. Nos corps sont tous faits différemment et certaines personnes sont naturellement plus souples que d'autres. Quelle que soit votre raideur, vous pouvez apprendre à votre corps à devenir plus souple par des étirements réguliers. L'objectif est d'aider votre corps à se détendre et à relâcher les tensions, ce qui augmentera votre mobilité, construira votre force et améliorera votre souplesse.

Flexions de côté avec glissement du bras

↘ Étire les côtés du corps, depuis les hanches jusqu'au cou.

- Asseyez-vous sur le sol, jambes tendues et écartées à environ 90° (ou plus si vous êtes plus souple – mais ne forcez pas). Rentrez le nombril en direction de la colonne vertébrale et imaginez qu'une ficelle vous tire vers le haut depuis le centre de la tête.
- Soulevez le bras droit en cinquième position puis penchez votre corps vers la gauche, en laissant votre bras gauche glisser le long de la jambe gauche pour vous soutenir. Ne laissez pas la hanche d'appui décoller du sol.
- Chaque étirement dure deux temps. Recommencez trois fois cet exercice de chaque côté.

Grand plié en seconde position

↘ **Étire les jambes, les fessiers et les cuisses.**

- Tenez-vous debout et placez les jambes en position largement écartée. Les pieds sont tournés en dehors et les mains reposent sur l'avant des cuisses **[1]**.
- Pliez les genoux au-dessus des pieds aussi loin que possible, tout en gardant les jambes tournées en dehors et en contractant les muscles du ventre pour vous soutenir. En conservant les mains sur les cuisses pour soutenir le haut du corps, assurez-vous d'avoir le dos droit et tenez deux temps dans cette position **[2]**.
- Revenez en position initiale, en vous remontant à l'aide de l'intérieur des cuisses. Recommencez 4 fois cet exercice.

Étirement du mollet

Lors d'un entraînement de danse, les muscles des mollets deviennent souvent très contractés ; leur étirement est donc très important.

- Tenez-vous debout, pieds joints, et faites un pas en arrière avec le pied gauche. Fléchissez légèrement le genou droit, tout en gardant le dos droit.
- Les mains sont posées sur les hanches. Appuyez dans le talon de la jambe tendue et penchez légèrement le buste vers l'avant (imaginez qu'une ligne droite passe par votre talon et ressort par le sommet de votre tête). Tenez 30 secondes dans cette position et changez de jambe.

Étirement du cou

↘ Étire le cou, les épaules, le haut du dos.

- Asseyez-vous en tailleur sur le sol, ventre rentré. Inspirez et inclinez la tête vers la gauche **[1]**. Expirez et tenez 10 secondes dans cette position (vous devez sentir l'étirement du côté droit du cou).
- Revenez en position de départ et recommencez l'exercice de l'autre côté.
- Revenez de nouveau en position de départ et laissez tomber le menton contre la poitrine **[2]**. Expirez et conservez cette position pendant dix secondes.
- Recommencez 4 fois la séquence décrite ci-dessus.

CONSEIL

Vous devriez sentir un étirement dans le haut du dos.

➔ Exercice avancé

Pour un travail plus avancé, posez la main gauche sur l'oreille droite lorsque vous inclinez la tête vers la gauche et laissez le poids de la main tirer votre tête vers l'épaule. Recommencez de l'autre côté.

Étirement des fessiers

↘ Étire les fessiers et le bas du dos.

Pour les danseurs, les fessiers deviennent toujours très contractés parce que nous faisons en permanence des rotations ; ces étirements sont donc impératifs.

- Allongez-vous sur le sol, bras le long du corps, genoux fléchis et pieds écartés de la largeur des hanches.
- Placez un pied sur le genou opposé. Soulevez la jambe du sol afin qu'elle soit à angle droit.
- Tendez les mains vers l'avant et placez-les derrière la cuisse ; tirez la jambe en direction de la poitrine et tenez 30 secondes. Prenez soin de garder la tête au sol.
- Changez de jambe et recommencez.

Étirement des ischio-jambiers

↘ **Étire les fessiers et le bas du dos.**

- Allongez-vous au sol, sur le dos, bras le long du corps, genoux fléchis et pieds écartés de la largeur des hanches.
- Placez le pied droit sur le genou gauche (gardez le genou droit en dehors). Levez la jambe gauche à 90° en l'air. Dans cette position, tendez la jambe gauche.
- Tendez les mains vers l'avant et placez-les derrière le mollet gauche (ou, si vous n'y parvenez pas, derrière le genou) et tirez la jambe en direction de votre poitrine. Tenez 30 secondes dans cette position.
- Changez de jambe et recommencez.

CONSEIL

Ne vous inquiétez pas si, au début, vous n'arrivez pas à rapprocher la jambe de votre corps. Cet étirement est progressif ; avec le temps, vos jambes gagneront en amplitude de mouvement.

Étirement des triceps

↘ Étire les muscles des triceps, sous vos bras.

- Asseyez-vous en tailleur sur le sol et amenez le bras droit au-dessus de la tête. Fléchissez le coude, de sorte que la main tombe derrière votre tête, entre les omoplates.
- Placez la main opposée sur le coude droit et poussez doucement le bras vers le bas pendant 30 secondes.
- Changez de bras et recommencez.

CONSEIL

Pour bien vous étirer, gardez les omoplates tirées vers le bas.

Étirement des bras

↘ Étire les triceps et biceps.

- Asseyez-vous en tailleur sur le sol, croisez le bras droit et placez la main sur l'épaule gauche.
- Avec la main opposée, poussez le coude droit vers vous de sorte que la main droite aille au-delà de l'épaule gauche. Tenez trente secondes dans cette position.
- Changez de bras et recommencez.

CONSEIL

Prenez soin de détendre vos épaules lorsque vous croisez le bras. C'est un excellent exercice pour ceux qui travaillent dans des bureaux.

Enroulement avant

↘ Étire la colonne vertébrale et les ischio-jambiers.

- Tenez-vous debout, bien droit, pieds parallèles et écartés de la largeur des hanches. Rentrez le nombril vers la colonne et gardez les bras le long du corps. Inspirez et basculez la tête vers la poitrine **[1]**.
- Expirez et, en laissant les bras tomber vers l'avant, enroulez doucement votre corps vers le bas, vertèbre par vertèbre **[2]**. Gardez les jambes tendues sans bloquer les genoux, en prenant soin de ne pas pencher vers l'avant ou l'arrière. En bas du mouvement, laissez pendre la tête et approchez les mains le plus près possible du sol.
- Tenez deux temps dans cette position, inspirez et, à l'aide des muscles abdominaux, déroulez-vous pour revenir en position de départ.

1
2

Rester en bonne santé

Dans la danse comme dans la vie, il est essentiel de protéger son corps des blessures. En ce qui me concerne, cela signifie de bons échauffements, beaucoup d'activité physique, des étirements, du Pilates et suffisamment de repos.

Ce n'est pas une question de poids, mais de forme physique. Être en forme c'est d'avoir relativement peu de graisses corporelles car la graisse n'est pas très efficace en termes de combustion de calories alors que le muscle l'est. Si vous cherchez à perdre du poids, mieux vaut savoir que le programme Pilates + barre au sol + étirements, pratiqué seul, ne vous fera pas perdre de poids. Si l'entretien corporel aide à perdre des centimètres, ce sont les activités cardiovasculaires, comme la course, la marche, la bicyclette et la natation, qui vous aideront à perdre de la graisse/du poids.

Il est essentiel d'avoir un mode de vie sain, en parallèle au programme d'exercices. Pour en retirer le meilleur, j'ai réuni quelques conseils destinés à maximiser les effets du programme.

Astuces pour vivre sainement

Il existe un lien étroit entre une alimentation saine et une bonne santé. Mangez toujours sainement et équilibré. Il ne s'agit pas d'abandonner vos aliments préférés, mais de les choisir de façon sensée.

Je suis une fanatique de ce que je mange sinon je ne pourrais pas faire ce que je fais à mon âge, ce qui signifie que je mange tout le temps correctement. Je mange rarement de la viande rouge et me nourris plutôt de poulet, de poisson et de riz brun (excellent pour la digestion), et toujours de plus de cinq portions de fruits et de légumes par jour. Je mange des pâtes une fois par semaine et, en dehors de cela, je m'abstiens complètement de blé. Je mange du riz, des céréales à base d'avoine et des bananes pour me donner de l'énergie. Je bois environ trois verres de vin rouge par semaine parce que je sais que c'est bon pour le cœur, mais je m'assure aussi de boire beaucoup d'eau parce que je danse beaucoup.

Bien que je sois obligée de me montrer disciplinée, je crois aussi aux petits plaisirs et ne refuse jamais un morceau de chocolat. Si je prends un dessert au restaurant, je choisis toujours l'option fruit. Mes amis me demandent souvent si j'ai l'impression de passer à côté de quelque chose, mais je ne le remarque pas car j'apprécie la nourriture que je mange. Alors que je pouvais manger tout ce que je voulais lorsque j'étais jeune, je sais maintenant ce qui va me porter tout le long d'une représentation et ce qui ne me portera pas, ce qui va aider mon corps à se remettre d'une blessure et ce qui ne l'aidera pas. Si votre objectif est de manger plus sainement, souvenez-vous que la clé est de trouver les côtés positifs de vos choix. Voici quelques dées pour améliorer le conteue de votre assiette.

➔ Cinq portions de fruit et de légumes par jour

Pommes, bananes, fruits rouges et légumes verts à feuilles sont particulièrement bons parce qu'ils sont bourrés de vitamines et de minéraux et ajoutent des fibres à votre alimentation.

Une alimentation riche en calcium

Sauf allergie aux produits laitiers, ne soyez pas tenté d'éliminer le lait de votre alimentation, parce que le calcium est essentiel pour avoir des os durs. Si vous souhaitez surveiller votre poids, choisissez du lait demi-écrémé ou écrémé ou du lait de soja parce qu'ils contiennent exactement la même teneur en calcium que le lait entier.

Des protéines

Incluez des protéines comme la viande, le poisson, les œufs, le tofu, les pois chiches et le soja (si vous êtes végétarien) dans votre alimentation quotidienne. Environ 25 % de nos apports alimentaires quotidiens devraient provenir de protéines car elles sont essentielles pour la construction des os, des muscles, de dents saines, des cheveux et des ongles. Les meilleures sources de protéines sont le poulet, le poisson, les produits à base de soja, le lait et les œufs. Une alimentation riche en protéines (par opposition à une alimentation uniquement faite de protéines) contrôlera également votre appétit et stimulera vos hormones pour brûler les graisses dans le corps.

Des graisses insaturées

Les graisses insaturées (liquides à température ambiante), appelées aussi acides gras essentiels, se trouvent dans l'huile d'olive, le saumon, le thon et les sardines. Elles sont bonnes pour la santé de votre cœur. C'est pourquoi les poissons gras, riches en acides gras essentiels Oméga-3, devraient être ajoutés trois fois par semaine à votre alimentation pour un bénéfice maximum.

Boire plus d'eau

Les recherches montrent qu'une personne sur cinq ne consomme pas suffisamment d'eau dans la journée. La recommandation en vigueur est de 1,5 litre (environ huit à dix verres). Ne pas boire cette quantité signifie que beaucoup de personnes sont à la limite de la déshydratation, ce qui induit de la fatigue et une tendance à grignoter pour reconstituer son énergie. L'eau est aussi vitale pour une santé optimale, en particulier lorsqu'on fait de l'exercice. Non seulement elle hydrate les organes et protège le système nerveux, mais elle vous empêche de saisir quelque chose à manger lorsqu'en réalité vous voulez boire (les récepteurs de la soif sont souvent confondus avec les récepteurs de la faim).

Des hydrates de carbone

Mangez moins d'hydrates de carbone raffinés, comme le pain blanc, les pâtes, le riz blanc et les pommes de terre, mais mangez plus de pâtes à base de farine complète, de riz brun, de pain complet et de légumes verts. C'est un mythe que les danseurs ne mangent pas d'hydrates de carbone ; en fait, nous en avons plus besoin que les autres car nous puisons en eux l'énergie nécessaire pour danser. Toutefois, une personne moyenne n'en a pas besoin d'autant et devrait toujours les consommer tôt dans la journée car ils sont difficiles à digérer.

Pensez à votre posture

Une bonne posture est la clé de l'assurance et de la confiance en soi. Autrement dit, il est important de toujours réfléchir aux gestes de la vie quotidienne : comment s'asseoir, se tenir debout et se pencher.

Ne vous affalez jamais dans votre fauteuil lorsque vous vous asseyez et ne vous arc-boutez pas en avant lorsque vous vous levez. Focalisez-vous plutôt sur la manière dont vous vous servez de votre corps, avant de faire quelque chose. La meilleure façon, et de loin, est de toujours rentrer le nombril en direction de la colonne et d'imaginer qu'une ficelle accrochée au sommet de la tête vous tire vers le haut lorsque vous marchez, vous tenez debout et même lorsque vous vous penchez. Les principes du programme Pilates, barre au sol et étirements vous aideront à faire cela naturellement, mais pour vous aider à maintenir une bonne posture assurez-vous de ce qui suit lorsque :

➔ Vous êtes assis

Ne vous asseyez jamais jambes croisées car vous vous tordez les hanches et le bassin. Asseyez-vous jambes parallèles et pieds à plat sur le sol. Essayez de ne pas vous effondrer dans votre fauteuil, mais de vous redresser en vous dégageant de vos hanches et de soutenir votre dos en rentrant légèrement le ventre. L'usage d'un tabouret peut vous aider à travailler cela parce qu'il n'offre pas de soutien pour le dos, mais pensez- à vous asseoir les fesses au fond de l'assise, de vous redresser en vous dégageant des hanches et de ne pas vous avachir.

➔ Vous êtes debout

La meilleure astuce qu'on m'ait jamais donné sur ce sujet est de détendre les genoux lorsqu'on se tient debout, afin de ne pas se tenir en arrière dans les genoux. Regardez-vous de profil dans un miroir : se tenir en arrière dans les genoux crée une courbe non naturelle dans le bas du dos. Tenez-vous debout, genoux légèrement fléchis : votre coccyx descendra et votre corps se tiendra plus droit. Une bonne façon de savoir si vous faites cela correctement est de vous assurer que le poids du corps est au-dessus des orteils et non au-dessus des talons. Lorsque votre poids se trouve dans les talons, vos tibias subissent la pression, se contractent et deviennent douloureux.

➔ Vous marchez

La seule chose à retenir à ce sujet est de toujours marcher en déroulant le pied (le talon touche le sol en premier puis roule jusqu'aux orteils), mais ne marchez pas comme les danseurs sur les talons et les pieds en dehors. Je dois tout le temps me rappeler de marcher en déroulant le pied pour prévenir les tendinites parce que les années passées à faire des exercices en rotation me font marcher de cette manière. Il est toujours bon de s'étirer les mollets après une longue marche.

➔ Vous vous penchez et portez des enfants

- Ne vous penchez pas tête la première pour ramasser un enfant : pliez toujours les genoux, accroupissez-vous et tendez les bras vers l'avant. Voici la méthode numéro un pour ne jamais se faire mal au dos.
- Lorsque vous portez un enfant, ne vous penchez pas en arrière avec son poids contre vous ou contre votre hanche ; rentrez le ventre et tenez-vous droit, de sorte que le poids soit équilibré vers le haut, et non vers l'arrière ou sur le côté.
- Servez-vous de vos bras.

Je tiens toujours la cadette de mes filles, Zoe, sous les fesses et devant moi, puis je plie les genoux légèrement pour me soutenir lorsque je me promène avec elle. J'ai également appris à ne pas me voûter lorsque je porte l'un de mes enfants ; tout cela peut sembler excessif mais marche. Enfin, avec deux petites filles qui deviennent envieuses lorsque j'en porte une plutôt que l'autre, j'ai aussi appris que la seule manière de les tenir toutes les deux dans les bras est de me mettre à leur hauteur, m'asseoir par terre et alors les serrer dans mes bras. Cela m'évite de me faire piétiner et me préserve des maux de dos.

Restez active

Pour rester en bonne santé, il est recommandé d'avoir au moins 30 minutes d'activité physique 5 fois par semaine. Il s'agit d'activités qui vous font respirer plus vite, augmentent votre rythme cardiaque et vous échauffent. Alors que le programme Pilates + barre au sol + étirements travaille sur l'amélioration de la tonicité musculaire, l'activité cardio-vasculaire vise à brûler les graisses et conserver un cœur en bonne santé.

➔ Bonne nouvelle si vous aimez danser !

La plupart des styles de danse, comme les claquettes et le flamenco, sont très énergétiques, et même une valse lente équivaut au moins à une marche modérée (5 km/h). Les adeptes de la salsa et de la danse classique feront monter leur rythme cardiaque, s'échaufferont et respireront vite. En dehors des bénéfices aérobics évidents pour le cœur et les poumons, les cours de danse contribuent à améliorer la force musculaire, encouragent la souplesse et améliorent l'alignement et l'équilibre. Mieux encore, les mouvements complémentent l'entraînement Pilates + barre au sol + étirements, parce qu'ils font bouger votre corps dans diverses directions ce qui contribue à tonifier et à renforcer certaines parties des jambes, du ventre et du dos laissées de côté lors d'une séance de gym normale. Le quota de combustion de graisse associé à la danse est aussi plus élevé que ce que vous pourriez penser, une personne moyenne brûlant 3 à 10 calories à la minute. Cela signifie qu'une classe de salsa effectuée à un rythme moyen pourrait éliminer environ 350 à 400 calories à l'heure, soit *grosso modo* votre déjeuner entier !

➔ Danser n'est pas votre truc ?

Les autres activités que j'affectionne comprennent :

↘ La marche

Elle améliore la force cardio-vasculaire (la manière dont les poumons et le cœur fonctionnent) aussi bien que la force musculaire. De plus, elle est bon marché, facile et peut être faite avec des talons hauts (excellent pour la force des mollets) ! Marchez toujours avec un mouvement talon puis orteils

et assurez-vous de marcher à un rythme qui fait travailler votre cœur un petit peu plus vite. Marchez tous les jours au moins 30 minutes.

↘ La natation

Une excellente forme d'exercice que j'apprécie beaucoup. À l'instar du ballet, elle utilise tous les muscles et améliore la force du haut et du bas du corps, ainsi que la force aérobic. Elle est également bon marché et facile à faire, mais assurez-vous de forcer et de ne pas simplement vous contenter de flotter et de vous laisser glisser dans l'eau 30 minutes par jour. Une bonne manière est de nager dix longueurs, puis de se servir d'une planche et d'en faire dix autres, en vous concentrant sur vos jambes. Nagez au moins 20 minutes et changez tous les jours d'activité : nagez par exemple le crawl un jour, la brasse le lendemain et le dos crawlé le jour d'après.

↘ La bicyclette

Elle fait travailler les bras et les jambes et peut être amusante, mais il est nécessaire d'en faire plus longtemps que les activités précédentes pour en retirer l'entier bénéfice. Gardez la selle haute, afin que les cuisses ne se contractent pas et ne vous servez pas de votre élan pour vous déplacer, allez à un rythme constant. Étirez toujours vos cuisses à la fin pour éviter qu'elles ne deviennent volumineuses.

Glossaire

Pilates

Alignement Le corps doit être aligné pendant tout exercice Pilates, c'est-à-dire que toutes les articulations doivent être en ligne et symétriques les unes par rapport aux autres.

Allongement Une sensation, plutôt qu'un mouvement imposé, dans laquelle vous imaginez votre cou doucement s'écarter de la tête ou vos jambes s'écarter des hanches.

Centre Dans la méthode Pilates, tout mouvement démarre du centre, c'est-à-dire de la bande de muscles (le transverse et les obliques en diagonal) qui maintient le buste comme un corset, en contribuant au soutien et à la bonne posture. Il est essentiel de renforcer le centre pour avoir une colonne vertébrale en bonne santé et le ventre plat tant convoité.

Creuser Rentrer le nombril en direction de la colonne vertébrale, tout en imaginant que vous creusez le ventre par un mouvement vers l'intérieur et vers le haut.

Dynamique La force d'un mouvement qui permet à votre corps d'accomplir un exercice difficile. Dans la méthode Pilates, le mouvement ne vient pas de la dynamique mais de la force du centre, pour renforcer et tonifier les muscles. Il est essentiel de contrôler tout mouvement et de ne pas s'appuyer sur la vitesse.

Fessiers Les muscles des fesses situés au-dessus des ischio-jambiers.

Ischio-jambiers Les muscles situés à l'arrière des jambes, qui vont des genoux aux fesses.

Neutralité de la colonne vertébrale La moitié d'un plié, dans lequel vous fléchissez les genoux aussi profondément que possible tout en conservant les deux talons plantés dans le sol.

Danse

Développé Un mouvement dans lequel la jambe est dépliée lentement afin de pouvoir être tendue en l'air.

En seconde Un mouvement accompli en seconde position.

Fondu Une flexion du genou avec une seule jambe.

Frappé Un mouvement de frappe/fouettement dans lequel on frappe le sol ou le mur avec le pied.

Glissé Un mouvement dans lequel le pied glisse sur le sol et décolle.

Grand battement Un lancé haut de la jambe.

Grand plié Une profonde flexion des genoux dans laquelle les talons peuvent décoller du sol.

Pirouette Un tour.

Plié Une flexion des genoux, dans laquelle vous fléchissez les genoux tout en conservant les deux talons plantés dans le sol.

Port de bras Un mouvement des bras d'une position à une autre.

Relevé Une montée sur demi-pointes.

Retiré Le mouvement de soulever le pied pointé et de le placer contre le genou de la jambe opposée (pour dessiner un chiffre quatre).

Rond de jambe à terre Un demi-cercle décrit sur le sol par le pied.

Rond de jambe en l'air Un demi-cercle décrit en l'air par le pied.

Rotation Le fait de tourner les jambes de 90° vers l'extérieur en partant des hanches.

Sol au centre Le centre de la pièce, où les exercices sont dansés sans l'aide de la barre.

Tendu Indique « brosser ». Un mouvement dans lequel le pied brosse le sol ou le mur.

Tendu en seconde Un mouvement dans lequel le pied brosse le sol ou le mur vers le côté.

Tendu derrière Un mouvement dans lequel le pied brosse le sol derrière vous.

Tendu devant Un mouvement dans lequel le pied brosse le sol ou le mur devant vous.

Biographie

Darcey Bussell est née à Londres le 27 avril 1969. Elle a été admise à la Royal Ballet School à l'âge de treize ans, où elle a étudié pendant cinq ans avant de rejoindre en 1987 le Sadler's Wells Royal Ballet. En septembre 1988, Darcey est entrée au Royal Ballet comme Premier Soliste. Trois mois plus tard, à tout juste vingt ans, elle a été promue Étoile – position qu'elle a occupée jusqu'en octobre 2006 lorsqu'elle est devenue Principal Artiste Invité du Royal Ballet. Elle a dansé pour le New York City Ballet, le Kirov Ballet de Saint-Pétersbourg et La Scala Ballet Company de Milan et a été invitée internationalement par plusieurs autres compagnies.

En 1990, Darcey s'est vue décerner par le magazine *Dance & Dancers* le titre de Danseur de l'année. Elle a également reçu, la même année, le Prix Sir James Garreras du nouveau venu le plus prometteur et le Prix pour le Ballet du *Evening Standard*. Elle a été co-gagnante en 1991 du Prix de la Réussite décerné par le *Cosmopolitan* dans la catégorie des Arts du Spectacle et a reçu le titre de Commandant de l'Ordre de l'Empire Britannique dans la Liste des Distinctions publiée lors de l'anniversaire de la Reine en 2006.

Remerciements

Merci au Royal Ballet, à mes collègues et amis pour toujours me rappeler qu'on ne cesse jamais d'apprendre dans la vie.

Un grand merci à l'équipe de Penguin, Chantal Gibbs, Kate Adams, Kate Brunt et Sarah Fraser, pour connaître à l'avance toutes les positions de la barre au sol et être toujours source d'inspiration, ainsi qu'à Anita Naik. À Clifford Bloxham et Sandy Lund de Octagon et à Charlotte Toosey pour garder tout le monde en contact et faciliter la réalisation de ce livre.

Merci à Shock Absorber et Nike de m'avoir prêté les tenues des photographies du livre. À Iain Philpott, le photographe, pour ses idées et son professionnalisme et pour me donner une grande confiance en moi.

À ma famille : à mon mari, pour être présent à chaque moment, et à Phœbe et Zoe, pour donner une telle dimension à ma vie.

Imprimé en Espagne par Cayfosa en octobre 2013
pour le compte d'Hachette Livre (Marabout),
43, quai de Grenelle, 75905 Paris Cedex.
ISBN : 978-2-501-08470-3
Dépôt légal : février 2013
4127148 / 02